D0777224

Les aspects pratiques du financement des entreprises

Performance financière

Les aspects pratiques du financement des entreprises

Jean-Paul Page, FCGA, CFA
Mario Lavallée, Ph.D., CFA
Jacques Bourgeois, Doctorat

ORDRE DES
COMPTABLES GÉNÉRAUX LICENCIÉS
DU QUÉBEC

445 St-Laurent, bureau 450, Montréal Qc H2Y 2Y7
Téléphone: (514) 861-1823 • Télécopieur: (514) 861-7661
1 800 463-0163

GUÉRIN Montréal Toronto
4501, rue Drolet
Montréal (Québec) H2T 2G2 Canada
Tél.: (514) 842-3481
Téléc.: (514) 842-4923

Dépôt légal

ISBN 2-7601-4723-1

Bibliothèque nationale du Québec, 1998
Bibliothèque nationale du Canada, 1998

IMPRIMÉ AU CANADA

Nous reconnaissons l'aide financière du gouvernement du Canada par l'entremise du Programme d'Aide au Développement de l'industrie de l'Édition pour nos activités d'édition.

REMERCIEMENTS

Nous désirons remercier les nombreuses personnes qui nous ont appuyés pour ce travail en relisant le texte. Ces gens nous ont fait part d'innombrables suggestions et corrections tout en nous prodiguant une bonne dose d'encouragement. Plus particulièrement, nos remerciements s'adressent à monsieur Carol Charbonneau, analyste principal - service aux entreprises à la Banque Nationale, à monsieur Luc Tanguay, CFA, premier vice-président et chef de la direction financière de Theratechnologies Inc. et à monsieur Léo Marcotte, M.Sc., planificateur financier et chargé de cours à l'Université de Sherbrooke.

Nous sommes grandement redevables aux membres du Comité sur le financement de l'Ordre des CGA : d'abord, son président, monsieur Jacques Ouellet, CGA, de Québec Téléphone, ainsi que son secrétaire, monsieur Gilles Nolet, directeur des services professionnels de l'Ordre, pour son soutien constant durant la rédaction de cet ouvrage. Nous sommes tout aussi redevables aux autres membres du Comité : madame Carole Bouthillette, CGA, vice-présidente finance, Groupe Jean Coutu ; monsieur Jacques Brouillette, CGA, chef des investissements, Fondaction (CSN) ; madame Josée Leclair, CGA, directrice de la succursale de Sherbrooke, Banque de développement du Canada ; et madame Hélène Silicani, CGA, chef de la section Analyse Financière, Métro-Richelieu. Leurs nombreux commentaires, leurs critiques judicieuses et leurs suggestions ont permis d'améliorer substantiellement la première version de ce manuscrit.

Jean-Paul Page
Mario Lavallée
Jacques Bourgeois

Table des matières

Objectif poursuivi

L'objectif du présent ouvrage consiste à exposer les divers aspects pratiques du financement des entreprises en adoptant une vision globale et en privilégiant le point de vue des entreprises qui ont des besoins de financement plutôt que celui des institutions financières ou des bailleurs de fonds en général. Il ne s'agit donc pas de traiter des aspects techniques qui permettent de résoudre toutes les questions particulières concernant le financement mais de présenter les fondements de la négociation du point de vue des utilisateurs de fonds de même que les principaux modes et sources de financement. Le domaine du financement des entreprises est très vaste, en perpétuelle évolution et soumis à une grande diversité de points de vue. Nous tenterons avant tout de fournir des conseils et des informations en vue de guider le gestionnaire afin qu'il puisse organiser et mettre en oeuvre le plan de financement le plus approprié pour son entreprise ou son organisation. En effet, sans une planification adéquate à la base, il est impossible d'optimiser en matière de financement.

Cet ouvrage s'adresse aux entrepreneurs, à leurs conseillers et aux cabinets d'experts-comptables qui oeuvrent auprès d'entreprises dont les ventes se situent entre un demi et dix millions de dollars. L'optique privilégiée n'est donc pas celle du travailleur autonome, de la micro-entreprise ou de la grande entreprise. Il va de soi que ceux-ci y retrouveront tout de même des informations pertinentes et des éléments de formation essentiels.

Introduction

L'octroi de crédit est une des plus vieilles activités économiques de l'humanité et ses origines remontent au début des temps. La forme la plus ancienne est sans doute le prêt de divers biens comme des instruments, de la nourriture ou du terrain. Le prêt comme nous le connaissons aujourd'hui est apparu avec la création de la monnaie qui sert essentiellement de moyen d'échange lors de diverses transactions.

Depuis toujours, une grande part du développement économique, et cela dans quelque type de société que ce soit, repose sur le crédit. En effet, le crédit permet de se procurer une plus grande quantité d'actifs productifs et ainsi de prospérer. Les problèmes reliés au crédit (déficits, faillites ou autres) ne sont pas causés par le crédit en tant que tel mais par l'usage parfois excessif que l'on en fait.

Les intérêts, une forme de compensation pour l'usage du capital, permettent à l'emprunteur d'offrir une rémunération, normalement raisonnable, pour l'avantage qu'il obtient à utiliser l'argent d'un autre, le prêteur. Ils servent également à compenser pour la perte de pouvoir d'achat de la monnaie causée par l'inflation.

Les intérêts servent aussi à indemniser le prêteur pour les risques de pertes qu'il encourt, c'est-à-dire la possibilité que les intérêts et le capital ne soient pas remboursés à temps ou pas du tout. Ainsi, le taux d'intérêt compté sur une dette (Kd) est la somme de trois éléments : le taux d'intérêt réel permettant, dans un contexte où il n'y a pas de risque, de rémunérer le prêteur pour la perte temporaire de la jouissance de son argent (ir), une prime pour le compenser de l'érosion de son pouvoir d'achat (if) et une prime pour le risque encouru (ig).

$$Kd = ir + if + ig$$

Historiquement, le taux (ir) a varié entre 1 et 3 % et dépend principalement de l'augmentation réelle de la productivité. La prime (if) est une expectative et dépend conséquemment de ce que les gens pensent, selon un consensus plus ou moins défini. Le guide qui sert à l'établissement des deux premiers paramètres pour un prêt en dollars canadiens est le taux indicateur de la Banque du Canada. Ce taux sert de base à tous les autres et comprend le loyer de l'argent et une prime pour l'inflation.

Lors de la négociation d'un emprunt, le seul paramètre pouvant être véritablement négocié est (ig), la prime pour le risque que représente l'emprunteur. Cet élément de risque est aussi fonction de l'ensemble des caractéristiques du prêt : échéance, garanties offertes, clauses protectrices et autres. La rémunération du capital de risque s'établit de la même manière. Il s'agit alors d'ajouter une prime pour le risque supplémentaire supporté par l'actionnaire ou le propriétaire. En effet, les rendements espérés ou attendus sur le capital de risque sont soumis à une variabilité beaucoup plus grande, et les probabilités de pertes sont aussi bien plus importantes ; par conséquent, le rendement exigé doit être supérieur.

La question du financement des entreprises ne se résume pas aux montants obtenus et aux taux exigés. En effet, toutes les conditions d'un financement importent et déterminent son coût réel. L'objectif, comme dans toute négociation, est la conclusion d'une entente où chaque partie trouve son compte et sort gagnante. Un besoin réel, bien financé auprès de la bonne institution financière, contribue au développement économique et est une source de prospérité. Les entrepreneurs doivent donc s'efforcer d'acquérir une bonne compréhension des marchés financiers, des mécanismes de financement, des différents produits et de la philosophie des divers participants.

Le processus menant à la conclusion d'une bonne entente de financement comprend quatre étapes : la préparation de la demande, l'analyse du dossier, la négociation et la conclusion d'une entente. La préparation de la demande consiste à rassembler et à fournir au prêteur ou à l'investisseur l'ensemble des informations leur permettant d'effectuer toutes les analyses qu'ils jugeront à propos. La forme que prendra cette demande est sans doute un facteur aussi important que les informations et les éléments qu'elle contient. L'objectif est de mettre les responsables du dossier en confiance. Pour cela, il faut évidemment que les informations fournies soient justes et crédibles.

L'analyse du dossier consiste d'abord à vérifier si l'emprunteur répond aux critères établis par l'institution financière et à déterminer le niveau de risque qu'il représente. A priori, il s'agit d'une question de confiance, et la franchise réciproque est essentielle. Les éléments fondamentaux sont : la rentabilité, les garanties, les qualités administratives et l'honnêteté des dirigeants.

L'étape de la négociation est la plus importante, et il y a lieu pour l'entreprise de se placer et de se sentir dans une situation d'égal à égal. Le type de négociation est le même que celui d'un acheteur vis-à-vis d'un vendeur : l'institution financière à laquelle l'entreprise s'adresse pour obtenir du financement a un produit à vendre et cherche à réaliser une bonne affaire. L'un dépend autant de l'autre, et les deux, indépendamment de leur taille respective, sont également importants. L'entreprise à la recherche de financement ne demande pas la charité et désire avant tout conclure une bonne affaire avec un bailleur de fonds qui poursuit le même objectif. Un aspect très important dans toute négociation est de garder son indépendance et de faire jouer la concurrence en sa faveur. Évidemment, les institutions financières n'apprécient guère cette éventualité, mais c'est une condition préalable à toute bonne négociation, car en situation de dépendance, il est très difficile de mener une négociation honnête et d'obtenir une entente équitable.

La conclusion finale de l'entente est souvent l'affaire des avocats et des notaires et comprend l'ensemble des documents juridiques qui encadrent tous les éléments de l'accord intervenu lors de la négociation. Le vocabulaire utilisé et le style de rédaction rendent souvent les textes fort complexes. Dans bien des cas, une lettre d'entente présentant les éléments importants des résultats de la négociation demeure le meilleur moyen de s'assurer que les documents juridiques représentent bien la volonté de chacun. Il est de plus conseillé d'y faire alors référence à l'intérieur même des contrats au moyen d'une clause prévue à cette fin.

Les principes fondamentaux

L'évolution des marchés financiers et les bouleversements économiques ont provoqué de grandes turbulences dans le domaine du financement des entreprises. D'abord, la concurrence entre les bailleurs de fonds est plus vive que jamais. La venue d'un grand nombre de banques étrangères surtout spécialisées dans le financement offert aux entreprises et le décloisonnement des institutions financières traditionnelles y sont aussi pour beaucoup (banques, sociétés d'assurance, firmes de courtage, fiducies, etc.). Par ailleurs, la création de nouveaux instruments financiers et les montages financiers compliqués regroupés sous le vocable *d'ingénierie financière* ont donné lieu à une terminologie qui donne souvent des complexes aux gens d'affaires. Indépendamment du degré de sophistication de certaines ententes, les éléments de base sont simples et les principes demeurent faciles à comprendre :

- faire coïncider l'échéance du financement avec la durée de vie des actifs ;
- diversifier les sources de financement ;
- ne pas trop compter sur les institutions financières traditionnelles pour financer le lancement d'une entreprise ;
- accepter de payer plus cher lorsque l'on représente un plus grand risque ;

- accepter certaines dispositions qui permettront d'éviter d'éventuels conflits ;

- ne pas compter sur le financement pour rendre un projet rentable.

- ne pas abuser de la confiance accordée par les bailleurs de fonds.

1. L'APPARIEMENT DES ÉCHÉANCES

Un entrepreneur n'offrira jamais des comptes clients en garantie pour obtenir du capital de risque. Le principe de l'appariement est donc fort simple : le financement à court terme devrait servir pour des actifs de nature temporaire (stocks et comptes clients) et le financement à long terme devrait être utilisé pour des actifs permanents. On doit chercher à faire coïncider le plus possible la durée de vie des actifs avec les échéances du financement. Ainsi, on ne paie pas inutilement pour du financement dont on n'a pas nécessairement besoin et on n'encourt pas le risque inutile de manquer de fonds. Évidemment, un appariement parfait est impossible, et les entreprises qui veulent réduire le risque de ne pouvoir rembourser à temps le capital utiliseront les sources de financement les plus à long terme qu'il soit possible d'obtenir. Par contre, ce type de financement coûte généralement plus cher.

Compte tenu de ce premier principe, la partie la plus importante des actifs à court terme devrait être financée au moyen d'une marge de crédit et des comptes fournisseurs. Les banques et les caisses populaires sont particulièrement actives pour offrir aux entreprises une marge de crédit. Certaines sociétés spécialisées offrent d'autres types de financement comme l'affacturage et les récépissés d'entrepôts (voir la partie portant sur la description des divers modes de financement). Tel que mentionné, il ne faut pas s'attendre à ce que les prêteurs financent 100 % des actifs à court terme. L'entrepreneur doit nécessairement recourir alors à du capital de risque, soit en réinvestissant dans l'entreprise une partie des revenus à la disposition des propriétaires soit en ayant recours à du nouveau capital de risque. En règle générale, cette partie du financement correspond aux besoins *permanents* du fonds de roulement naturel.

Les actifs à long terme, qu'il s'agisse des équipements, de diverses machineries, de véhicules, de bâtiments ou autres, doivent être financés par des prêts à terme, des baux à long ou moyen terme, des hypothèques ou des prêts sur équipement. Les bailleurs de fonds habituels sont les banques à charte, les caisses populaires et leurs organismes affiliés, la Banque de développement du Canada, les entreprises de location et diverses autres institutions qui dépendent des autorités provinciales et fédérales dans la majorité des cas (SOQUIA, SGF, Sociétés Innovatech, Caisse de dépôt et placement du Québec, etc.) Évidemment, les besoins non comblés, ordinairement de 30 à 60 %, devront être financés par des fonds propres.

Les fonds propres (capital de risque) sont utilisés pour tous les actifs permanents de l'entreprise. Il s'agit de la partie des actifs à court, moyen ou long terme qui resteront en permanence dans l'entreprise et qui ne sont pas touchés par les fluctuations des ventes. Comme exemple, on peut citer un montant minimum de stocks, des terrains et la plupart des immeubles.

De toute évidence, les bailleurs de fonds (créanciers ou actionnaires) ne considèrent pas uniquement un actif en particulier, car ils ne deviennent pas créanciers ou actionnaires d'un actif mais bien de l'entreprise dans sa globalité. Ainsi, chaque actif est en partie financé par de la dette et des fonds propres.

Les sources de capital de risque sont principalement les investisseurs privés et les sociétés spécialisées dans ce domaine. Deux procédures d'émission sont couramment utilisées, soit le placement privé et l'appel public à l'épargne (nous reviendrons sur ce point plus loin).

2. LA DIVERSIFICATION DES SOURCES DE FINANCEMENT

Investiriez-vous tous vos avoirs (fonds pour la retraite, REER, liquidités et autres) dans des actions ordinaires d'une seule entreprise ? Peut-être certains le font-ils, mais avouons qu'ils courent un risque bien inutile.

Lorsqu'il s'agit du financement d'une entreprise, le même principe s'applique, et il est toujours préférable de recourir à plusieurs sources. L'avantage est évident et tient au fait que le maintien de bonnes relations d'affaires avec plusieurs institutions financières permet de faire jouer la compétition en notre faveur. Il est entendu que les gens des institutions financières vous prêcheront le contraire, mais s'ils mettent trop d'ardeur à vous convaincre, dites-vous que vous avez doublement raison.

Le choix des institutions financières auxquelles on décidera de s'adresser est fonction de trois paramètres : *la philosophie de l'institution, la quantité et la qualité des services offerts ainsi que la compétence de son personnel.*

La philosophie se traduit par la réputation de l'institution financière auprès de ses clients. Se comporte-t-elle en véritable partenaire ou sort-elle le parapluie uniquement lorsqu'il fait beau soleil ? Quel est son volume d'activités dans l'industrie où l'entreprise évolue ? À la base de la confiance, si importante pour les institutions financières, il y a la compréhension des caractéristiques de l'entreprise et de son industrie. Les institutions financières tendent de plus en plus à se spécialiser : secteur, taille des clients, situation géographique. Il est donc important d'être à la bonne adresse.

La quantité et surtout la qualité des services offerts sont aussi à considérer et il faut s'assurer du bon aiguillage. Quels autres services l'institution peut-elle rendre ? Un service informatisé pour la paye, un spécialiste dans un secteur particulier, une expertise en recouvrement de créances à l'étranger sont des exemples des différents services que peuvent offrir certaines institutions financières.

De l'extérieur, *la compétence du personnel* en place dans une institution financière est très difficile à évaluer. Souvent, la solution consistera à contacter des clients de ces institutions qui ont à peu près les mêmes caractéristiques que vous. Cette initiative s'avère généralement très profitable et permet d'éviter beaucoup d'erreurs. Cependant, les décisions sont de plus en plus centralisées et, souvent, les gens que nous rencontrons ne sont pas les seuls à prendre les décisions. La qualité des dossiers soumis démontrant la rentabilité du projet prend alors toute son importance. En effet, même si l'emprunteur a réussi à convaincre son premier interlocuteur, il lui faudra aussi s'assurer que ses responsables hiérarchiques iront dans le même sens.

3. LE RÔLE RESTREINT DES INSTITUTIONS PRÊTEUSES DANS LE FINANCEMENT D'UNE ENTREPRISE EN DÉMARRAGE

Le processus de création d'une nouvelle entreprise débute au moment où une idée commence à germer dans l'esprit d'un entrepreneur et prend fin au stade où l'entreprise peut compter sur une équipe de gestionnaires compétents, un produit ou un service accepté par les consommateurs, un fonctionnement et des opérations efficaces. À ce moment-là, le problème du financement devient tout autre et l'entreprise peut en prendre plus facilement le contrôle. Cependant, tout cela doit être bâti, et il faut de l'argent pour concrétiser une idée ou un concept et démontrer sa viabilité.

Le premier stade de la création d'une entreprise est le stade embryonnaire. Sa durée est très variable et il s'agit de faire émerger une idée ou un concept. Les sources de financement sont fort limitées et les entrepreneurs ne peuvent compter que sur eux-mêmes ou, parfois, sur leurs proches (parents et amis). Les ventes n'existent pas encore et il n'y a évidemment pas de bénéfice. L'objectif est d'atteindre le stade de développement suivant et, pour cela, il faut concrétiser l'idée et en démontrer la faisabilité.

Le deuxième stade est celui du lancement d'une entreprise. Il est alors possible d'en planifier le développement et d'établir les principaux besoins de financement. Le financement initial permet de terminer le développement du produit et d'établir son plan de marketing. Normalement, les ventes devraient débuter, mais il ne faut pas s'attendre à réaliser des bénéfices. Les besoins de financement sont en règle générale inférieurs à 1 million de dollars. Les particuliers que l'on pourra réussir à intéresser et certains programmes gouvernementaux représentent alors les principales sources de financement. Les institutions financières accepteront de fournir des fonds pourvu que les entrepreneurs puissent offrir des garanties à toute épreuve, soit en cautionnant personnellement soit en rendant disponibles des actifs qui ont une valeur certaine. La clé pour l'obtention des fonds est alors de pouvoir démontrer non seulement que la mise sur pied d'une entreprise pour exploiter l'idée de départ est possible, mais qu'il existe aussi de véritables chances de succès.

Le stade suivant est celui de la première expansion. Les ventes atteignent alors un niveau qui permet de dépasser le point mort; les bénéfices commencent à apparaître. Il s'agit maintenant d'obtenir des fonds pour entreprendre la production à une échelle commerciale et pour financer les besoins de fonds de roulement naturel (les comptes clients et la partie de stocks non financés par les fournisseurs). L'équipe de gestion devrait commencer à prendre forme et l'entreprise établira une stratégie de marketing. Il est alors possible de s'adresser aux institutions financières. Cependant, les garanties à offrir demeureront un critère important puisque l'entreprise n'aura pas encore véritablement fait ses preuves. Certains organismes gouvernementaux et prêteurs commerciaux pourront satisfaire aussi une partie des besoins, mais l'entreprise devra avant tout augmenter sa capitalisation, qui devra atteindre un certain minimum selon son secteur d'activité et ses besoins.

Le recours à du capital de risque doit alors être envisagé et sa disponibilité devient la condition essentielle à l'expansion envisagée. Les entrepreneurs devront être conscients que les exigences de cette catégorie d'investisseurs seront d'obtenir jusqu'à 50 % et plus du contrôle et de pouvoir espérer un rendement de l'ordre de 20 à 50 % sur les sommes investies. De fortes perspectives de croissance constituent l'élément majeur qui intéressera l'investisseur en capital de risque. En effet, seules la croissance et l'expansion de l'entreprise permettront de réaliser le taux de rendement recherché.

Cette première expansion sera vraisemblablement suivie d'une autre. Les ventes auront le potentiel de doubler, de tripler et même de quadrupler. Les bénéfices seront présents, mais les besoins de financement ne disparaîtront pas pour autant. Les investisseurs en capital de risque sont à l'affût de ce genre d'entreprise. Les principaux indicateurs du succès sont la qualité de la gestion, la part de marché potentiel et l'efficacité de la production. Évidemment, la capitalisation demeurera l'élément majeur, mais l'entreprise aura plusieurs choix : un premier appel public à l'épargne, un placement privé et le recours aux firmes spécialisées en capital de risque.

En conclusion, il faut se rappeler que le financement du lancement d'une entreprise n'est surtout pas l'affaire des institutions financières prêteuses. Leur apport est en général très limité et elles ne se bornent à fournir des fonds que s'il existe une garantie intégrale. En cette matière, elles ont surtout tendance à évaluer la valeur de liquidation des actifs qu'elles contribuent à financer et à établir leur participation à un pourcentage de cette valeur. Dans presque tous les cas, elles exigeront des cautionnements personnels des entrepreneurs, des dirigeants ou encore des deux. Leur rôle est de servir les intérêts de leurs épargnants avant tout et, en conséquence, de ne pas prendre de risques indus.

4. UN PLUS GRAND RISQUE NÉCESSITE UN MEILLEUR RENDEMENT

Aucun bailleur de fonds ne dérogera au principe selon lequel il faut exiger un taux de rendement plus élevé lorsque le risque augmente. Par surcroît, plus une source de financement est risquée pour l'entreprise,moins elle l'est pour le bailleur de fonds, et l'inverse est tout aussi vrai.

Ainsi, lorsque l'entreprise désire des fonds externes qui n'augmentent pas trop son risque, elle devra certainement payer plus cher et peut-être sacrifier une partie du contrôle. Le risque influe autant sur le choix du bailleur de fonds que sur les garanties à offrir, le mode de financement et ses caractéristiques.

L'évaluation du risque n'est pas une science précise et repose avant tout sur la qualité des informations disponibles. La première tâche des gestionnaires à la recherche de financement consiste donc à préparer et à communiquer des informations pertinentes, généralement sous la forme d'un plan d'affaires détaillé qui inclut la demande de financement. La qualité de la forme et la pertinence des informations présentées permettront à l'entrepreneur d'établir sa crédibilité et de créer un climat de confiance qui placera les négociations dans des conditions favorables.

Le risque que représente une entreprise pour une institution financière traditionnelle est déterminé au départ par les garanties qui pourront être offertes, la capacité de l'entreprise de générer des flux monétaires, la compétence de ses gestionnaires, l'efficacité des opérations et de la production ainsi que l'importance du marché. Évidemment, d'autres facteurs pourront aussi être considérés, comme le secteur industriel, la situation géographique et le climat économique, mais il s'agit d'habitude de facteurs externes sur lesquels l'entrepreneur a très peu ou pas de contrôle.

La procédure d'évaluation de ces facteurs peut varier d'une institution financière à l'autre, mais les grandes lignes demeurent les mêmes. Il s'agit d'établir ce que l'on nomme dans le domaine du crédit les ***5 C*** **:**

- ***Le caractère*** : la confiance que l'on peut avoir dans l'équipe de gestion et dans la volonté des propriétaires de respecter les ententes conclues et leur parole.

- ***La capacité*** : les probabilités que l'entreprise continue à exister et ne fasse pas faillite. La survie d'une entreprise est fonction principalement de sa capacité de générer des flux monétaires avec ses actifs. Il faut que les actifs soient productifs, qu'ils soient suffisamment efficaces et qu'ils génèrent des fonds.

- ***Les «collatéraux»*** (les garanties) : les actifs offerts en garantie comptent énormément dans la décision des prêteurs d'attribuer ou non des fonds à une entreprise. La valeur de réalisation de ces actifs advenant la faillite de l'emprunteur est souvent le premier critère d'évaluation de la solvabilité. La valeur et l'importance accordées aux garanties dépendent toujours des caractéristiques de l'emprunt demandé : utilisation, échéance, mode de remboursement et autres.

- ***Le capital*** : la mise de fonds des propriétaires ou des actionnaires. Avant de demander aux gens à l'extérieur de l'entreprise d'avoir confiance et d'investir leur argent, il faut évidemment démontrer que les gens à l'intérieur ont confiance eux aussi et qu'ils sont prêts à supporter une partie importante du risque en investissant leur propre argent.

- ***Le crédit*** : la position de l'entreprise sur le plan de l'endettement et de la rentabilité en regard de ses concurrents. L'usage adéquat de la dette, la liquidité, les marges bénéficiaires, ses habitudes de paiement sont autant d'indicateurs de la qualité du crédit de l'entreprise.

Beaucoup d'autres éléments peuvent être considérés par les bailleurs de fonds : les conditions économiques, la situation géographique de l'entreprise, le climat dans les relations de travail et leur propre situation au chapitre des liquidités. Cependant, la confiance dans les qualités administratives des gestionnaires et les garanties susceptibles d'être offertes (dans le cas des emprunts) sont déterminantes dans la décision.

5. LES PROPRIÉTAIRES ET LES CRÉANCIERS ONT SOUVENT DES OBJECTIFS DIFFÉRENTS

Tous les partenaires de l'entreprise, qu'ils soient propriétaires, créanciers, employés, fournisseurs ou autres, essaient d'améliorer leur propre bien-être, de sorte que certains conflits peuvent survenir. Le financement de l'entreprise n'est évidemment pas à l'abri de situations où peuvent surgir des divergences d'intérêts. Par exemple, il est généralement accepté que les propriétaires cherchent à maximiser et à protéger leur richesse, alors que l'objectif des créanciers est plutôt de recouvrer l'intégralité de leur capital et de se voir payer à temps les intérêts dus. Ainsi, les premiers voudront à tout prix que l'entreprise aille très bien alors que les seconds seront satisfaits si l'entreprise ne va pas trop mal. En conséquence, la perception que chacun a de l'entreprise et surtout leur désir et leur capacité de supporter le risque peuvent être fort différents. De plus, lorsque l'entreprise ne va pas trop bien, les gains de l'un peuvent se faire au détriment de l'autre et des risques de conflits surgissent alors (c'est surtout dans ce contexte que la disparité d'objectifs apparaît avec le plus d'acuité).

De par sa nature, le financement de l'entreprise implique nécessairement une phase de négociation. Or, avant d'entreprendre une négociation, il est important que l'entrepreneur cerne ses objectifs et ceux de l'autre partie, ce qui l'assure d'avoir un comportement rationnel et lui permet également de prévoir le comportement de l'autre partie, car il en connaît les objectifs.

Il existe une *communauté d'intérêts* entre les entreprises et les institutions financières, et les unes comme les autres retirent des avantages à négocier et à conclure des ententes. En effet, les institutions financières ont des capitaux abondants à investir et les entreprises ont beaucoup de projets d'investissement rentables à mettre en oeuvre.

Sans le financement accordé par les institutions financières, les entreprises devraient limiter le nombre de projets en fonction de ce que les fonds propres peuvent financer. L'émission d'actions ordinaires serait une solution envisageable, mais elle présente l'inconvénient de diluer l'actionnariat et ainsi de faire perdre le contrôle aux actionnaires majoritaires.

Les institutions financières, quant à elles, sont excellentes pour amasser des capitaux, mais n'ont à peu près pas d'avantages significatifs quand il s'agit d'entreprendre et de gérer des projets d'investissement rentables. Pour obtenir un rendement intéressant sur leurs vastes réservoirs de capitaux, elles doivent donc s'associer à des entrepreneurs. Il existe par conséquent une convergence d'intérêts qui pousse les entrepreneurs et les institutions financières à s'associer pour mettre en commun leurs points forts.

Les deux parties n'ont cependant pas accès à la *même qualité d'information* pour prendre leur décision d'association. L'entreprise doit accepter de fournir à l'institution financière une bonne quantité d'informations de qualité afin qu'elle soit en mesure de bien évaluer son risque et de déterminer le taux d'intérêt et les clauses du contrat de prêt. Cependant, l'information pertinente peut revêtir une certaine valeur pour la concurrence et les entreprises ont donc souvent des réticences à divulguer aux créanciers ces renseignements pourtant indispensables.

Les créanciers interprètent généralement à la baisse l'information que l'entreprise et ses dirigeants lui fournissent, car ils savent que les entrepreneurs sont par définition des gens optimistes. Ils comprennent que, pour avoir le prêt, les entrepreneurs ont avantage à insister sur les forces de leur entreprise plutôt que sur ses faiblesses. Un créancier pourra, avec les années, acquérir une certaine confiance dans les prévisions présentées par une entreprise, mais il aura tendance à demeurer assez sceptique.

Cette différence d'optique n'empêchera cependant pas les deux parties de s'entendre, et un prêt sera habituellement accordé. Cette *entente* se conclut, mais chacun sait qu'une fois le contrat signé, la divergence d'intérêts ne disparaîtra pas. En effet, lorsque la disponibilité du capital est assurée, le dirigeant d'entreprise continuera à privilégier l'objectif de maximisation de la richesse de ses actionnaires, et cela, même aux dépens des intérêts du créancier.

L'institution financière n'étant pas naïve, elle tentera de se protéger et se réservera généralement dans l'entente des moyens qui limitent de tels comportements. Elle pourra par exemple restreindre la distribution exagérée de dividendes et le rachat d'actions, et spécifier un niveau maximal pour le ratio d'endettement.

La possibilité d'avoir à nouveau besoin des capitaux de l'institution financière agit parfois comme un frein aux excès que pourrait être tentée de faire l'entreprise. Cependant, lorsque celle-ci éprouve des difficultés au point où son existence est remise en question, elle adoptera souvent un comportement qui se trouve en conflit direct avec l'intérêt des créanciers. C'est justement ce genre d'éventualité que certaines clauses du contrat d'emprunt tentent de réduire.

Lorsque les créanciers limitent par exemple les salaires versés aux dirigeants-actionnaires ou le versement de dividendes, ou encore lorsqu'ils exigent d'autoriser certaines dépenses, ils empêchent des comportements typiques en situation de crise. Ces comportements auraient pour effet de transférer le plus possible de biens de l'entreprise aux actionnaires, faisant en sorte que les créanciers n'obtiendront qu'une coquille vide s'ils doivent prendre le contrôle de l'entreprise. Sans ces clauses, il serait possible pour les actionnaires de modifier considérablement le degré de risque supporté par les créanciers une fois le prêt obtenu. Pour éviter cela, les créanciers rendent donc difficile le transfert exagéré d'actifs de l'entreprise vers les actionnaires.

Le *cautionnement personnel* des principaux actionnaires, c'est-à-dire les garanties personnelles, est une autre façon de s'assurer que la richesse de l'entreprise n'est pas dilapidée ou transférée exagérément en faveur des actionnaires. On se rappellera que l'entreprise et les actionnaires sont deux entités juridiques distinctes. Or, comme c'est l'entreprise qui emprunte, elle doit elle-même rembourser. Du fait que les actionnaires contrôlent l'entreprise, le créancier doit donc se protéger des transferts entre les deux. En effet, lorsque les dirigeants-actionnaires ont cautionné l'entreprise, les transferts de richesse sont inutiles, car le créancier a alors un recours autant contre l'entreprise que contre les propriétaires.

Demander le cautionnement des actionnaires est également une façon pour le créancier de mesurer le degré de confiance des actionnaires dans le projet soumis. En exigeant ce cautionnement, les créanciers obligent les actionnaires à engager une somme d'argent supérieure à leur mise de fonds. Plusieurs dirigeants deviennent alors plus réticents face au risque et moins optimistes.

Les institutions financières accordent beaucoup d'importance au cautionnement personnel et, dans certains cas, en abusent. En effet, il est presque impossible pour une petite entreprise d'obtenir un prêt sans que ses principaux actionnaires aient à cautionner ou à fournir des garanties personnelles. Sous le prétexte que *«des propriétaires qui croient réellement à ce qu'ils racontent ne devraient pas hésiter à se porter garants de l'emprunt»* se cache souvent une prudence excessive. Même si un cautionnement minimum s'avère essentiel au départ, il peut être renégocié à la baisse par la suite, selon l'évolution de la performance financière et de la capitalisation de l'entreprise.

D'après notre expérience, dans le cas des petites et moyennes entreprises, les actionnaires principaux doivent cautionner les emprunts de leur société neuf fois sur dix. Que les institutions financières se prémunissent contre les transferts indus de la richesse de l'entreprise en faveur de ses propriétaires est une chose, mais qu'elles prennent le double des garanties nécessaires constitue un abus. À partir du moment où une entreprise atteint une capitalisation acceptable, soit environ 50 % des actifs financés par des fonds propres, et qu'elle a toujours respecté ses engagements, il n'y a pas beaucoup d'arguments qu'une institution financière puisse invoquer pour justifier son refus d'accorder un prêt, même devant le refus des actionnaires de garantir les emprunts de leur entreprise.

Lorsque le cautionnement personnel est exigé, l'entrepreneur doit se rappeler qu'il s'agit d'un élément négociable et insister pour obtenir alors une diminution du taux d'intérêt ou d'autres avantages. De plus, un plafond de cautionnement peut être négocié et il est possible, lorsque qu'il y a plusieurs actionnaires, de négocier un cautionnement non conjoint et non solidaire. Il est aussi possible pour l'entrepreneur de se libérer, pendant la durée du prêt, de certaines garanties lorsque des conditions sont respectées.

6. LE FINANCEMENT N'A PAS POUR RÔLE DE PERMETTRE LA RÉALISATION DE PROJETS NON RENTABLES

Pour être accepté et mis en oeuvre, un projet doit d'abord être rentable et cela, indépendamment des moyens de financement utilisés, ainsi que de la structure de capital de l'entreprise. Le rôle du financement est de permettre que les projets qui contribuent à créer de la valeur puissent se réaliser et non de permettre à des projets de devenir rentables. Si des avantages existent en matière de financement, ils devraient donc être attribués à des projets d'abord rentables et aux projets qui ne satisfont pas le critère exigé de rentabilité pour le risque qu'ils comportent.

Plusieurs raisons peuvent être invoquées pour justifier ce principe : d'abord, il est très difficile, voire impossible, de relier directement les retombées d'un financement à un projet particulier. Ensuite, les sources de financement les moins coûteuses en apparence ont habituellement un coût caché qu'il importe de considérer, soit celui d'augmenter le risque de l'entreprise pour les propriétaires. Enfin, pour être accepté, un projet devrait être suffisamment rentable pour intéresser les propriétaires à investir leur propre argent. Si cela n'est pas le cas, il est souvent préférable d'investir ailleurs, du moins du point de vue du développement économique et d'une saine affectation des ressources.

Il existe une différence fondamentale entre la décision d'investissement et celle de financement. La sélection de projets doit se faire sur une base individuelle, c'est-à-dire qu'il faut se prononcer sur leur propre désidérabilité. En matière de financement, il est impossible de procéder ainsi. Les créanciers et les actionnaires investissent d'abord dans une entreprise et non dans un projet en particulier. Ils acquièrent une partie de l'entreprise, donc une partie de tous les projets, et ne deviennent pas créanciers ou propriétaires d'un projet en particulier. Accepter un projet parce que son financement est peu onéreux devient souvent une mauvaise décision, car ce coût de financement ne dépend pas essentiellement du projet mais plutôt de l'entreprise. Pour cette raison, si des avantages en matière de financement existent, ils devraient être attribués à des projets d'abord rentables. L'entreprise s'en portera alors mieux, et meilleurs seront l'affectation des ressources et le niveau de l'activité économique.

Le financement par dette coûte moins cher à l'entreprise : comme il est moins risqué pour les bailleurs de fonds, ceux-ci exigent un taux plus bas que les actionnaires. Pour l'entreprise, c'est évidemment l'inverse : les dettes créent des charge fixes, donc un risque, et ce risque s'ajoute à celui des actifs. Les dettes permettent donc d'accroître la rentabilité d'un projet et d'une entreprise mais augmentent aussi son risque. Ce phénomène est généralement appelé l'effet de levier, un effet multiplicateur qui amplifie autant le rendement espéré que le risque supporté. Il est souvent tentant de ne considérer que l'aspect positif du levier. Par le recours à des dettes, un projet insuffisamment rentable pour le risque qu'il comporte peut soudain apparaître très acceptable. Il s'agit là d'un artifice : la dette comporte un coût direct et visible, soit le taux d'intérêt demandé, et un coût indirect, caché et sournois, soit l'augmentation du risque.

La décision d'accepter ou de rejeter un projet d'investissement doit habituellement être prise de façon indépendante de la décision de financement, du moins lorsque le financement est obtenu aux conditions normales qui prévalent sur les marchés financiers. Pour cela, il faut d'abord supposer que le projet sera financé en entier au moyen de fonds propres, soit la source de fonds la plus onéreuse mais cependant la moins risquée. De cette façon, pour que le projet puisse être accepté, il devra être suffisamment rentable pour intéresser les propriétaires à investir leur propre argent. Dans une deuxième étape, s'il s'avère que le projet peut être financé d'une meilleure façon, la décision ne pourra que devenir plus sensée.

Chaque projet doit être rentable en lui-même, c'est-à-dire en sa qualité d'actif. L'objectif est d'abord de choisir les meilleures immobilisations. L'entrepreneur détermine ensuite la meilleure façon de financer ces meilleurs projets. Un actif ne peut en effet devenir meilleur par le seul fait qu'il est financé d'une façon plutôt que d'une autre.

7. LES ENTREPRISES NE DOIVENT PAS ABUSER DE LA CONFIANCE ACCORDÉE PAR LES BAILLEURS DE FONDS

L'entreprise, à partir du moment où elle obtient du financement externe, doit accepter le fait qu'elle s'associera désormais avec de nouveaux partenaires. Ceux-ci deviendront autant responsables du succès de l'entreprise que ses clients, ses fournisseurs et bien sûr ses employés.

Pour connaître une véritable réussite et cela peu importe le type d'association ou de partenariat, il faut toujours agir de bonne foi et surtout conserver sa crédibilité. Prenons un exemple qui concerne l'utilisation différente des montants empruntés.

Le dirigeant d'une petite entreprise, véritable adepte des nouvelles technologies, désire acquérir un ordinateur plus puissant afin d'accélérer le traitement de certains fichiers. Il s'adresse à son banquier pour obtenir à cette fin un prêt à terme. Après analyse de la demande, le directeur du compte décide de refuser la demande parce que le projet ne fera pas augmenter les ventes ni ne réduira les coûts. De plus, le directeur du compte mentionne au dirigeant qu'il serait préférable que l'entreprise conserve une plus grande flexibilité financière compte tenu d'un certain ralentissement économique prévu. Que nous soyons d'accord ou pas avec le directeur du compte n'a pas d'importance et ne constitue aucunement le point que nous voulons illustrer.

Les choix qui s'offrent au dirigeant sont simples : il doit trouver un autre mode de financement à long terme ou ne pas acheter le nouvel ordinateur. Supposons au contraire qu'il se serve de la partie non utilisée de la marge de crédit. Il est vraisemblable que la banque ne s'en rende pas compte à court terme et, dans certains cas, pourrait ne jamais l'apprendre. Un fait demeure cependant : le montant autorisé de la marge de crédit est destiné à financer des besoins de fonds de roulement et non pas à l'achat d'équipement. Que pourrait-il survenir si, plus tard, l'entreprise avait besoin d'utiliser au complet le montant autorisé qui avait été prévu à l'origine ?

De tels agissements minent la confiance de la banque envers un client et peuvent avoir de très fâcheuses conséquences. Évidemment, si tout va bien, rien ne se passera mais, advenant un revirement de l'économie et des difficultés pour l'entreprise, il en sera tout autrement. Le client a fait un usage abusif du montant autorisé de la marge de crédit, a affecté sa crédibilité et, en dernière analyse, n'a absolument rien gagné.

Les prévisions financières et l'établissement des besoins de trésorerie sont deux autres domaines où l'entrepreneur peut manquer de réalisme et commettre certains abus. Il est évidemment très facile de gonfler les chiffres et de se montrer démesurément optimiste. Ces abus sont rarement profitables, et il est toujours préférable de faire preuve de bonne foi et de conserver sa crédibilité. Toutes les prévisions doivent représenter ce qui est le plus vraisemblable de se produire et non pas toujours les meilleures perspectives. Si elles sont honnêtes, il y aura en moyenne 50 % des chances que les résultats obtenus soient supérieurs aux prévisions et, évidemment, 50 % des chances qu'ils soient inférieurs. Quelles conclusions les bailleurs de fonds tireront-ils si, de façon systématique, les résultats obtenus sont inférieurs à ceux prévus ? La réponse est évidente : l'entrepreneur perd peu à peu sa crédibilité et les conséquences peuvent devenir désastreuses. Le principe que nous avons illustré avec quelques exemples est fort simple :

l'investisseur ou le prêteur qui fournit des fonds à une entreprise en devient par le fait même un associé et acquiert le droit et, à la limite, l'obligation de savoir si l'entreprise respecte ses engagements autant dans la lettre que dans l'esprit. L'entrepreneur doit demeurer tout à fait conscient de cette réalité, et le seul moyen de demeurer le maître absolu de son entreprise est de ne pas utiliser l'argent des autres. Lorsqu'une entreprise emprunte ou a recours à du capital de risque, elle s'engage aussi à devoir rendre compte de façon crédible et intègre.

Le choix d'un bailleur de fonds devient ainsi tout aussi important que celui d'un partenaire, et l'entrepreneur doit rencontrer plusieurs candidats. Il est faux de prétendre qu'ils se ressemblent tous. En effet, certains sont plus compétents que d'autres et comprendront mieux l'entreprise. Il devient alors plus sécurisant de communiquer des informations sur son entreprise et d'informer le bailleur de fonds sur l'évolution de sa situation financière, de ses problèmes potentiels et, bien sûr, de ses projets. Le maintien de bonnes relations avec les bailleurs de fonds permet à l'entreprise d'accroître sa crédibilité et la confiance qu'elle inspire. Éventuellement, cela se traduira par des taux d'intérêt plus bas, des frais moins onéreux ainsi que des exigences moins sévères, notamment en ce qui concerne les garanties exigées.

Les formes d'emprunt

La synthèse des différents instruments de dette à la disposition des entreprises n'est pas facile à présenter, car l'industrie du financement des entreprises et l'évolution récente des marchés financiers ont multiplié les types et formes de dette. Nous nous limiterons donc à décrire ceux qui sont les plus utilisés. Afin de ne pas alourdir le texte et de simplifier le choix de la forme d'emprunt la plus appropriée, nous présentons, sous forme de tableau à l'annexe 1, un résumé des avantages et coûts des principales sources de financement offertes aux PME.

1. LES FORMES D'EMPRUNT À COURT TERME

1.1 LE BILLET À ORDRE

Le billet à ordre est la forme d'emprunt la plus simple et consiste en une promesse écrite par une personne qui s'engage à verser à une autre personne une certaine somme d'argent. Habituellement non garanti, l'emprunt peut être à demande ou remboursable à une date donnée, prédéterminée ou spécifiée ultérieurement.

Le billet à ordre est souvent utilisé pour des emprunts entre parents et amis. Les institutions financières aussi font grand usage du billet à ordre, car il permet d'établir juridiquement que l'emprunteur a effectivement une dette envers elles.

Il va de soi que, pour obtenir plus de garantie, l'institution financière utilise d'autres instruments en sus du billet à ordre.

1.2 LE PRÊT À COURT TERME

Le prêt à court terme traditionnel est obtenu auprès des institutions financières prêteuses (banques et caisses populaires) et prend surtout la forme d'une marge de crédit. Le but est de combler une partie des besoins de fonds de roulement naturel, c'est-à-dire financer le cycle de fabrication. On s'attend donc, à l'intérieur d'une année, à des fluctuations importantes des sommes utilisées dans le cadre d'une marge de crédit.

Les montants que l'on peut obtenir de même que les principales caractéristiques (taux exigé, montant minimum avancé à chaque utilisation, remboursements, etc.) sont négociés en général pour un an et sont révisés régulièrement. L'entente (la marge de crédit) ne constitue pas un engagement juridique de la part de l'institution prêteuse, mais plutôt une reconnaissance que, sous certaines conditions préalablement stipulées, elle envisagera de prêter à l'entreprise jusqu'à un certain maximum. Ordinairement, les institutions prêteuses honorent leur entente de crédit et ne réduisent celle-ci que pour des raisons importantes comme une modification de leur politique de crédit ou des changements majeurs dans les conditions de crédit de leur client.

Normalement, les emprunts consentis au moyen d'une marge de crédit sont garantis par les comptes clients et les stocks. Les institutions financières ont établi certaines normes qui limitent les montants de prêts accordés. Ces limites dépendent de la qualité et de la quantité des garanties, soit environ de 50 à 80 % des comptes clients jugés valides (ayant généralement moins de 90 jours) et de 30 à 50 % de la valeur des stocks. À noter qu'il s'agit de prêts à demande, c'est-à-dire que l'institution a le droit d'exiger en tout temps le remboursement complet ou partiel de la marge. Cependant, il est rare que cela se produise, et l'institution prêteuse ne le fera que si l'entreprise ne respecte pas les conditions du prêt.

1.3 L'ACCEPTATION BANCAIRE

Une acceptation bancaire est un billet signé par un emprunteur et cautionné par une banque qui en certifie le paiement. Ainsi, la banque autant que l'émetteur ont l'obligation légale de payer les sommes dues. Les termes sont habituellement de 30 à 365 jours et les garanties sont, la plupart du temps, des produits en cours de fabrication ou, dans le cas des institutions financières, des prêts à être vendus. Des termes plus longs peuvent être obtenus mais ce n'est pas une pratique courante dans le cas des PME.

Comme pour une marge de crédit, l'entreprise désirant utiliser ce type de financement doit d'abord négocier les montants et les conditions sous lesquelles la banque acceptera d'en certifier le paiement. Souvent, il s'agit simplement d'une partie de la marge de crédit traditionnelle qui est ainsi réservée. Le taux exigé par la banque pour ses services (les frais d'estampillage) est de 0,5 à 1 % et est établi selon la qualité du crédit de l'emprunteur.

Les coupures minimales sont de 100 000 $, mais habituellement, à cause des frais administratifs, il s'agit de montants qui varient plutôt entre 500 000 $ et 1 000 000 $. Les acceptations bancaires sont en général offertes sur les marchés financiers et vendues au plus offrant. Elles sont donc émises à escompte (le taux est alors légèrement supérieur à celui des bons du Trésor) et remboursables uniquement à l'échéance.

L'établissement du prix se fait selon la formule de l'intérêt simple :

$$V.N. = P\left(1 + i\left(\frac{n}{365}\right)\right)$$

où	$V.N.$	=	la valeur nominale, soit le montant qui sera remboursé à l'échéance ;
	P	=	le prix offert ;
	n	=	le nombre de jours avant l'échéance ;
	i	=	le taux de rendement exigé sur une base annuelle.

Le prix offert pour obtenir la promesse de paiement est donné par :

$$P = \frac{V.N.}{1 + i\left(\frac{n}{365}\right)}$$

Le coût pour l'entreprise sur une base annuelle sous la forme d'un taux d'intérêt simple *(c)* s'obtient en faisant :

$$c = \frac{(V.N. - P) + E}{P - E}\left(\frac{365}{n}\right)$$

E correspond aux frais d'estampillage et les autres symboles gardent la même signification. Les acceptations bancaires sont utilisées en raison de leur coût inférieur à l'emprunt sous forme de billet émis par le truchement d'une marge de crédit traditionnelle. Les sommes recueillies servent habituellement au financement des stocks. Les économies par rapport à un emprunt contracté au taux préférentiel peuvent atteindre 1 %.

Illustrons la vente à escompte d'instruments financiers et le coût que son utilisation représente pour une entreprise. Considérons un financement de 2 000 000 $ sous la forme d'une acceptation bancaire, escomptée à 180 jours de l'échéance. Si elle est détenue jusqu'à l'échéance et que le taux d'escompte est de 4 %, le juste prix *(P)* de l'acceptation bancaire aujourd'hui est de 1 961 311 $. En effet :

$$P = \frac{V.N.}{1 + i\left(\frac{n}{365}\right)}$$

$$P = \frac{2\ 000\ 000}{1 + 0{,}04\left(\frac{180}{365}\right)}$$

$$P = \frac{2\ 000\ 000}{1{,}019726}$$

$$P = 1\ 961\ 311$$

En supposant des frais d'estampillage *(E)* de 10 000 $ soit 0,5 % de 2 000 000 $, le coût *(c)* pour l'entreprise sera :

$$c = \frac{(V.N. - P) + E}{P - E}\left(\frac{365}{n}\right)$$

$$c = \frac{(2\ 000\ 000 - 1\ 961\ 311) + 10\ 000}{1\ 961\ 311 - 10\ 000}\left(\frac{365}{180}\right)$$

$$c = \frac{48\ 689}{1\ 951\ 311}\left(\frac{365}{180}\right)$$

$$c = 0{,}0249519\left(\frac{365}{180}\right)$$

$$c = 0{,}050597 \textit{ soit environ } 5{,}06\ \%$$

Ce taux d'intérêt simple, ramené sur une base de taux effectif *(r)* correspond à environ 5,12 %.

$$1 + 0{,}0506\left(\frac{180}{365}\right) = (1 + r)^{\frac{180}{365}}$$

$$(1 + 0{,}02495)^{\frac{365}{180}} = (1 + r)$$

$$1{,}0512 = (1 + r)$$

$$r = 0{,}0512 \quad \textit{soit environ} \; 5{,}12 \; \%$$

Ce taux de 5,12 % peut être comparé au taux chargé par la banque sur la marge de crédit. Si ce dernier est de 6 %, l'utilisation de l'acceptation bancaire entraînerait une économie de près de 1 %. Alors, s'il est prévu que le montant utilisé de la marge de crédit sera constant durant les prochains mois, il pourraît être intéressant de le financer par une acceptation bancaire plutôt que par la marge, car cela permettrait d'économiser des dépenses d'intérêts.

Le phénomène de l'escompte trouve son application dans beaucoup d'instruments financiers, notamment dans le papier commercial décrit ci-dessous.

1.4 LE PAPIER COMMERCIAL

Le papier commercial est un billet à ordre ou au porteur, émis par une entreprise bénéficiant d'une excellente cote de crédit. Le marché du papier commercial est surtout réservé aux grandes entreprises qui l'utilisent pour financer des besoins de fonds de roulement pendant des périodes de fluctuations de la demande. L'émission se fait par l'intermédiaire des firmes de courtage sur les marchés financiers. De plus, ce billet est en quelque sorte garanti (couvert) par une marge de crédit non utilisée. Les termes sont très flexibles et peuvent atteindre de 1 à 365 jours; le papier commercial peut être émis à escompte (voir l'acceptation bancaire) ou porter intérêt, et les coupures minimales sont de 100 000 $. Le principal avantage du papier commercial est son coût, qui est inférieur au taux préférentiel, car la procédure d'émission permet d'éliminer un intermédiaire, soit la banque.

Le papier commercial est un instrument de placement très liquide, qui se négocie sur le marché monétaire. Les taux offerts sont comparables à ceux de l'acceptation bancaire et le papier commercial n'offre pas d'avantage majeur. Il constitue tout au plus une solution de rechange que les conditions du marché peuvent rendre intéressante.

1.5 LA LETTRE DE CRÉDIT [1]

La fréquence d'utilisation des lettres de crédit suit la rapidité de la progression des échanges internationaux. Elles font actuellement partie des services financiers courants offerts par les institutions financières. Une lettre de crédit, souvent appelée *crédit documentaire*, prend essentiellement la forme d'un engagement, par

1. Le contenu et la procédure d'utilisation de la lettre de crédit sont présentés au point 2.2 de la section traitant du risque commercial et du risque politique dans l'ouvrage *La gestion des risques financiers* par Marc-André Lapointe, publié dans la même collection.

une institution financière, à verser un montant déterminé à la place d'une entreprise cliente. Même si une lettre de crédit peut être exigée par n'importe quel fournisseur, elle est utilisée le plus souvent par l'entreprise qui importe des biens. L'engagement de l'institution financière permet à l'importateur de négocier une entente plus avantageuse, compte tenu qu'il garantit ainsi le paiement de ses achats.

L'engagement de l'institution financière à verser les sommes dues à la place de l'importateur devient exécutoire à partir du moment où l'institution reçoit certains documents indiquant que les biens commandés ont effectivement franchi les douanes. Les vérifications usuelles comprennent uniquement une attestation suivant laquelle les biens reçus correspondent à la description du bon de commande et que la quantité est exacte. Que les biens soient reçus en bon état ou non n'est habituellement pas la responsabilité de l'institution financière. Il importe donc pour l'importateur de fournir une très bonne description des biens commandés lorsqu'il demande une lettre de crédit. Les documents qui attestent la réception des biens sont transmis à l'institution financière par le courtier en douanes, et c'est sur la foi de ces documents que le paiement est effectué.

Une lettre de crédit, à partir du moment où elle est accordée, devient pour l'entreprise un emprunt normal au même titre qu'un emprunt sur billet. Le montant disponible de la marge de crédit autorisée sera évidemment réduit d'autant.

1.6 LES COMPTES FOURNISSEURS

Les comptes fournisseurs, souvent appelés *crédit commercial*, constituent une source de crédit spontané ou automatique en ce sens qu'ils sont normalement générés par les activités habituelles de l'entreprise. En achetant plus, une entreprise aura automatiquement plus de comptes fournisseurs. Dans tous les cas où une entreprise respecte ses termes d'achat et prend tous les escomptes accordés, il n'y a pas de coûts rattachés à cette forme de crédit. Dans le cas contraire, les coûts directs et indirects sont ordinairement très élevés.

Les coûts directs sont de ne pas bénéficier de l'escompte associé au règlement avant une date spécifique et d'avoir à payer les frais exigés par les fournisseurs sur les comptes en souffrance. Le coût de ne pas bénéficier de l'escompte se calcule ainsi :

$$\text{Coût} = \frac{\text{Escompte en argent}}{\text{Montant effectif à payer}} \times \frac{365}{\text{Nombre de jours de crédit}}$$

Prenons une facture de 1 000 $ et des termes de vente 2/10, net 30 jours. Si l'on ne paie qu'au dixième jour, le montant à débourser sera de 980 $. Si l'on attend le trentième jour, il sera de 1 000 $. Il en coûte donc 20 $ pour bénéficier de 20 jours supplémentaires de crédit. Sous la forme de l'intérêt simple, ramené sur une base annuelle, le taux est le suivant :

$$\text{Coût} = \frac{20}{980} \times \frac{365}{20}$$

$$= 0{,}3724 \text{ soit plus de } 37\%$$

À moins que le coût des autres sources de financement soit extrêmement onéreux, il est préférable de payer le dixième jour puisque le coût du crédit équivaut à plus de 37 %.

Si l'entreprise n'acquitte pas la facture dans les 30 jours, le fournisseur imputera habituellement des frais de financement. Les coûts prennent alors la forme de frais mensuels exprimés en pourcentage et applicables au solde en souffrance. Il est très rare que les taux soient concurrentiels et ce coût direct supplémentaire s'ajoute aux nombreux coûts indirects qu'entraîne le règlement tardif des factures. Les coûts indirects sont la détérioration de la réputation de l'entreprise et de sa cote de crédit ainsi que le risque important de devenir pour les fournisseurs un client de deuxième classe.

Il faut se rappeler que les fournisseurs sont habituellement des fabricants ou des détaillants, et que ce n'est pas leur rôle de financer les entreprises. Lorsqu'ils acceptent de le faire, ils engagent des coûts importants qu'ils doivent imputer un jour ou l'autre à leurs clients. Il ne faut pas confondre le financement au moyen des comptes fournisseurs avec le financement au point de vente offert par les détaillants de meubles ou les concessionnaires d'automobiles. Dans ce cas, les contrats de crédit sont vendus à des institutions financières ou à des entreprises spécialisées dans ce domaine.

1.7 LE FINANCEMENT PROVISOIRE (*BRIDGE FINANCING*)

Le financement provisoire est un type de prêt accordé par les institutions financières pour financer temporairement des projets d'investissement à long terme en cours de réalisation ou encore le financement d'une somme importante à recevoir. Par exemple, une aide gouvernementale qui peut être obtenue seulement après qu'un projet soit effectivement réalisé. Dans ce cas, l'institution prêteuse sait que l'entreprise recevra l'argent lui permettant d'être remboursée, même si cela peut prendre un certain temps.

Le financement provisoire est aussi parfois utilisé pour donner à l'entreprise le temps de négocier le financement approprié ou afin d'attendre des conditions plus favorables sur le marché pour obtenir un financement à long terme. Dans cette éventualité, il faut que l'entreprise soit prudente et qu'elle s'assure que ses chances d'obtenir effectivement le financement sont bonnes, car elle risque de ne pas pouvoir rembourser le prêt lorsqu'il deviendra effectivement exigible.

Le financement provisoire est très souvent utilisé dans le cadre de projets de construction immobilière. Alors, seuls les intérêts sur les sommes versées sont payables mensuellement, mais les taux sont généralement assez élevés (de 0,5 à 3,0 % plus élevés que le taux d'emprunt habituel de l'entreprise). Des garanties sont évidemment exigées, et l'institution prêteuse exerce un suivi assez strict afin d'éviter le dépassement des coûts.

1.8 L'AFFACTURAGE (*FACTORING*)

L'affacturage consiste essentiellement à vendre ses comptes clients à une société de financement spécialisée dans la perception des comptes. Cette société peut assumer alors les mauvaises créances et tous les autres frais rattachés à la perception et à la tenue de livres. Les clients de l'entreprise dont les comptes ont été vendus sont évidemment avertis, car ils devront désormais effectuer leur paiement à la société (le *factor*). Il est aussi possible que l'entreprise puisse continuer à recouvrer les comptes, éliminant l'impact négatif que cela pourrait avoir sur les clients, mais ce n'est pas très courant.

La procédure est normalement utilisée de façon continue au fil des comptes clients et l'entente est négociée chaque année. L'entreprise paiera pour les fonctions habituellement remplies par son propre service de crédit et pour les mauvaises créances prévues. Généralement, l'entreprise recevra l'argent à la date où les comptes deviennent normalement exigibles, soit 30 jours. La possibilité d'obtenir les fonds plus rapidement existe, mais la société de financement facturera des intérêts pour les sommes avancées. Les frais peuvent être relativement plus élevés, car en plus de payer les services de la société de financement, il faut payer les intérêts sur les sommes empruntées.

Par analogie, l'affacturage peut être comparé à l'acceptation de cartes de crédit par un marchand. Dans les deux cas, le client bénéficie d'une période de crédit et le marchand peut obtenir son argent beaucoup plus rapidement. Le coût pour le marchand correspond à un certain pourcentage de la facture, qui se situe habituellement entre 1 et 6 %, plus les frais d'intérêts sur les sommes avancées.

La majorité des entreprises qui ont recours à l'affacturage sont des petites et moyennes entreprises dans le secteur de la confection de vêtements qui ont un volume de comptes clients acceptables (150 000 $ à 400 000 $) et une clientèle en général solvable. Les principaux avantages sont la flexibilité et l'élimination du besoin d'avoir un service de crédit. Les principaux inconvénients sont le coût relativement élevé et l'impact souvent négatif sur la clientèle, car l'affacturage est parfois considéré à tort comme une solution de dernier recours.

1.9 L'AVANCE DES PROPRIÉTAIRES

Pour les petites entreprises, les avances des actionnaires et des administrateurs peuvent constituer des sources importantes de financement. Ordinairement, l'emprunt est alors non garanti et même subordonné à toutes les autres dettes.

1.10 L'EMPRUNT AUPRÈS DES SOCIÉTÉS DE FINANCEMENT

Certaines sociétés sont spécialisées dans le financement de petites entreprises. Elles se distinguent des institutions financières traditionnelles (banques, caisses populaires, etc.) en étant plus libérales et en acceptant souvent une sûreté de deuxième rang sur les garanties offertes (comptes clients et stocks). Les entreprises clientes de ces sociétés ont habituellement un chiffre d'affaires qui se situe entre 500 000 $ et 10 000 000 $. Leurs comptes clients et leurs stocks totalisent habituellement entre 150 000 $ et 3 000 000 $. Il s'agit souvent d'importateurs (fabricants ou grossistes) faisant usage de lettres de crédit. Les propriétaires doivent évidemment s'engager personnellement.

Beaucoup de ces sociétés de financement sont des filiales des banques et elles existent en très grand nombre au Canada. RoyNat, Investissement Desjardins, TD Capital et Bank of Montreal Capital en sont des exemples.

L'emprunt obtenu auprès des sociétés de financement par la cession des comptes clients en garantie fonctionne de la même façon qu'une marge de crédit ordinaire : des avances sont consenties et l'entreprise rembourse au fur et à mesure qu'elle recouvre ses comptes. L'emprunteur demeure entièrement responsable de la perception, et les clients ne sont habituellement pas avertis que leurs comptes ont été donnés en garantie. La procédure et la négociation sont les mêmes qu'avec les autres institutions financières sauf qu'on obtiendra plus d'argent mais, par contre, les coûts seront plus élevés.

Les sociétés de financement acceptent aussi de financer directement des stocks pourvu que ceux-ci soient constitués de produits finis (ou du moins facilement vendables) et de produits non périssables. Dans ce cas, l'emprunteur livre les marchandises à un entrepôt public qui délivre un reçu. L'emprunt est consenti sur la base de cette pièce (récépissé d'entrepôt) et remboursé lorsque les marchandises sont vendues. Entre-temps, les marchandises demeureront sous la garde des responsables de l'entrepôt.

Une pratique de plus en plus populaire consiste à escompter ses factures auprès des sociétés de financement. Dès qu'une vente est faite, la facture est immédiatement escomptée. Le montant de l'escompte tient compte du taux d'intérêt facturé pour l'avance de fonds, des frais pour percevoir le compte et du risque de mauvaise créance.

1.11 LE FINANCEMENT BASÉ SUR L'ACTIF

Le financement basé sur l'actif (*asset-based lending*) est un phénomène nouveau au Canada, bien qu'il constitue depuis un certain temps une activité importante et florissante chez nos voisins du Sud. En effet, moins de dix institutions, qui sont toutes, par surcroît, des filiales d'institutions américaines, offrent actuellement ce type particulier de financement au Canada.

Le financement reposant ou basé sur l'actif diffère du financement traditionnel des banques par l'importance que prennent les actifs portés en garantie et par l'attention qu'apporte le prêteur au suivi des garanties. De cette façon, le pourcentage du financement obtenu en donnant les actifs d'une entreprise en garantie est plus élevé. Par exemple, les prêteurs sur garantie (*asset-based lenders*) acceptent de prêter jusqu'à 85 % des comptes clients de moins de 90 jours, jusqu'à 70 % de la valeur des stocks et jusqu'à 80 % de la valeur des machines et des équipements. Dans le cas des institutions financières traditionnelles, les chiffres seraient de 10 à 30 % moins élevés. Le suivi de ces garanties est évidemment très serré et peut même se faire au jour le jour grâce à un accès direct au système informatique de l'emprunteur.

Les coûts imputés aux avances de fonds sont très concurrentiels et sont établis à partir du taux préférentiel majoré d'une prime qui varie entre 2 et 4 %. Les frais d'ouverture du dossier, de vérification et de suivi des garanties sont en général plus élevés que ceux demandés par les prêteurs traditionnels et sont entièrement à la charge de l'emprunteur. En ce domaine comme en beaucoup d'autres, il n'y a pas de cadeau, et il faut s'attendre à payer plus cher si l'on obtient plus. Cependant, ces frais sont habituellement fixes et leur importance est faible lorsque les montants empruntés sont importants (5 millions et plus). Le principal avantage de ce type de financement est qu'il permet à une entreprise d'utiliser sa capacité d'emprunt au maximum sans devoir supporter toute une kyrielle de clauses restrictives imposées par les prêteurs traditionnels.

Les prêteurs sur garantie s'intéressent en premier lieu aux moyennes entreprises et leurs principaux avantages concurrentiels sont leur expertise dans la détermination de la valeur réelle des garanties et la discipline qu'ils exercent dans leur suivi. Ils recherchent habituellement des ententes de trois ans et ont la compétence pour traiter des transactions assez complexes (comptes clients aux États-Unis, achat ou fusion d'entreprises, rachat d'actions, etc.). Ils ne privilégient aucun secteur industriel en particulier, mais ils ont ciblé les entreprises dont le chiffre d'affaires annuel atteint 15 millions de dollars.

2. LES FORMES D'EMPRUNT À MOYEN ET À LONG TERME

Le financement par emprunt à moyen et à long terme vise à combler des besoins de capitaux pour des périodes plus longues qu'un an. Le moyen terme va de 1 à 5 ou 7 ans et les échéances pour le long terme peuvent atteindre de 20 à 30 ans. Le plus souvent, les institutions financières considèrent une échéance de 4 à 5 ans pour le moyen terme et de 7 à 12 ans pour le long terme.

2.1 LE PRÊT À TERME

Les banques, les caisses populaires et les autres institutions financières consentent aux entreprises des prêts garantis dont l'échéance peut atteindre 15 ans. Les sommes obtenues sont principalement utilisées pour l'acquisition et la modernisation d'actifs immobiliers : équipements, machinerie, matériel roulant, etc.

Ces prêts se font normalement par contrat contenant l'ensemble des conditions particulières : garanties, clauses protectrices, mode de remboursement, taux d'intérêt, etc. Les contrats ou simples conventions sont très divers et souvent établis sur mesure selon les besoins et capacités de l'emprunteur. Cependant, une fois le prêt consenti, les conditions déterminées au départ ne peuvent être modifiées à moins d'un manquement au contrat ou d'une entente entre les deux parties. Exceptionnellement, et pour une longue échéance, le prêt à terme pourra comporter une clause de modification avant échéance.

Le taux d'intérêt sur le prêt à terme peut être fixe ou variable d'après l'évolution du taux préférentiel et est habituellement plus élevé que celui des prêts à court terme. L'échéance maximale peut correspondre à la vie utile des biens offerts en garantie et les remboursements de capital peuvent être mensuels, trimestriels ou annuels. Les intérêts sont cependant souvent payables chaque mois. Le prêt est généralement garanti par l'actif qu'il a permis d'acquérir et cette garantie prend la forme d'une hypothèque mobilière. Il est aussi habituel que le prêteur impose diverses clauses restrictives limitant certaines activités de l'entreprise : ratio d'endettement maximum, ratio de fonds de roulement minimum, gel des salaires des principaux gestionnaires, autorisation requise pour des dépenses importantes et pour tout retrait par les propriétaires ou autres restrictions.

2.2 LE PRÊT À LA PETITE ENTREPRISE (PPE)

Les prêts à la petite entreprise (PPE) s'adressent aux petites entreprises dont les ventes annuelles ne dépassent pas 5 millions de dollars. Ils servent surtout à financer l'achat d'équipements et de terrains, de même qu'à l'acquisition, à la construction ou à la rénovation d'actifs immobiliers, voire à financer des améliorations locatives. Les montants accordés ne dépassent pas 250 000 $ et peuvent atteindre 90 % du coût des immobilisations acquises.

Ces prêts sont garantis par le gouvernement fédéral qui indemnise les institutions financières (principalement les banques et les caisses populaires) pour 85 % des pertes subies lorsqu'il y a défaut. En retour, les prêts doivent être octroyés aux conditions usuelles de l'institution et garantis par un privilège sur les actifs financés. La garantie personnelle exigée est cependant réduite et ne peut dépasser 25 % du montant des prêts. L'échéance maximale est de dix ans et les versements de capital doivent s'effectuer au moins sur une base annuelle. Le taux d'intérêt facturé est habituellement le taux préférentiel des banques majoré de 3 %. À ce coût s'ajoute un droit à payer au gouvernement fédéral, qui s'élève à 2 % du montant du prêt. Ce droit est payable à l'octroi du prêt mais peut être inclus dans le montant du financement négocié si l'entreprise n'a pas les liquidités nécessaires.

L'actuel programme PPE est en vigueur depuis avril 1993 et il est prévu qu'il se termine en mars 1998. Il a toujours été reconduit et l'on peut supposer qu'il le sera encore.

2.3 LE CRÉDIT-BAIL

La location à moyen et à long terme d'actifs, appelée crédit-bail, permet à une entreprise d'obtenir l'utilisation économique d'un bien sans avoir à l'acheter. En fait, l'entreprise emprunte l'actif au lieu d'emprunter l'argent qui permettrait de s'en porter véritablement acquéreur. Plusieurs établissements, dont certains appartiennent aux banques ou ont des liens directs avec elles, offrent le service de location d'actifs sous des formes très diverses.

Ce mode de financement est souvent plus onéreux qu'un emprunt normal, mais il offre des avantages importants qui peuvent compenser. En voici quelques-uns :

- la valeur des économies d'impôt, en provenance de la dépense de l'allocation du coût en capital, est généralement plus grande pour le bailleur, étant donné que son taux d'imposition est souvent plus élevé ;

- la simplification des aspects juridiques, compte tenu que le prêteur demeure propriétaire du bien ;

- la possibilité de bénéficier de l'expertise de sociétés réellement spécialisées dans l'évaluation de certains biens ;

- l'amélioration de la liquidité, puisqu'on peut ainsi financer presque au complet le coût d'un bien (le coût du bien moins le versement initial de location qui est, il faut le dire, souvent plus élevé que les versements subséquents).

Les deux formes de crédit-bail les plus répandues sont le contrat de location-exploitation et le contrat de location-acquisition. La location-exploitation consiste en un bail laissant au bailleur tous les risques inhérents à la propriété du bien. Ce type de bail s'apparente à la location traditionnelle, qui est soit de courte durée soit facilement annulable. L'échéance est donc sans rapport avec la durée de vie économique du bien loué. Au point de vue fiscal, le montant du loyer est entièrement déductible du revenu pour le preneur et consiste donc en une dépense d'exploitation.

Au contraire, la location-acquisition constitue véritablement un mode de financement, et la durée des contrats est fonction de la vie utile des actifs loués. La plupart des avantages et des risques sont ainsi transférés au preneur. Au point de vue fiscal, les contrats de location-acquisition peuvent être considérés comme une acquisition déguisée, et les versements ne sont alors déductibles qu'en partie seulement. Dans ce cas, les versements de location sont considérés comme des versements d'emprunt et seulement la partie intérêts et la dépense de l'allocation du coût en capital de l'actif deviennent déductibles. Les lois fiscales, tant fédérale que provinciale, ne sont pas très claires et portent souvent à interprétation lorsqu'il faut établir si les versements sont entièrement déductibles. Le traitement fiscal permis est alors déterminé après examen des dispositions du contrat, son libellé et son exécution.

La location peut évidemment offrir des avantages intéressants pour une entreprise, mais la décision de louer ou d'acheter ne peut être prise sans une évaluation quantitative des principaux éléments inclus dans un contrat de location.

En théorie, cette évaluation est assez simple, mais en pratique, les contrats de location peuvent contenir un grand nombre de clauses rendant les calculs relativement complexes[2].

2.4 LE PRÊT HYPOTHÉCAIRE CONVENTIONNEL

Le prêt hypothécaire conventionnel est un prêt garanti par un privilège spécifique, dépendant des conventions, sur un bien immobilier (immeuble et terrain). Il ne donne pas lieu à une création de titre comme une obligation ou une débenture. L'acte hypothécaire est un contrat par lequel l'emprunteur accorde au prêteur des droits spécifiques sur un actif porté en garantie. Les principaux investisseurs en hypothèques commerciales et industrielles, en plus des banques et des institutions du Mouvement Desjardins, sont les sociétés d'assurance, les caisses de retraite et les sociétés de fiducie. C'est évidemment autre chose chez les particuliers, et il ne faut pas confondre ce mode de financement avec l'emprunt hypothécaire résidentiel.

La norme pour déterminer s'il s'agit du secteur commercial ou du secteur résidentiel est habituellement basée sur le pourcentage (50 % et plus) d'utilisation de la superficie du bâtiment. En ce domaine, comme pour la majorité des PME, le secteur commercial commande des taux d'intérêt plus élevés (de 0,5 à 2 %) et des frais de gestion du dossier plus importants tout en offrant moins d'argent pour une même garantie.

---

2. Le lecteur intéressé à effectuer cette évaluation peut se reporter aux pages 7.41 à 7.56 de *Gestion financière pour experts comptables et financiers* par Jean-Paul Page, édition DTR, 1997.

L'échéance d'un prêt hypothécaire peut varier entre 15 et 30 ans et correspond à la période totale de remboursement. Le terme, soit la période pendant laquelle le taux d'intérêt est fixé, varie généralement entre 1 et 5 ans. Durant cette période, les versements à effectuer sont habituellement fixes et comprennent les intérêts et une partie du capital. À chaque terme, et cela jusqu'à l'échéance, le taux d'intérêt sera négocié selon les taux du marché.

Un prêt hypothécaire peut être remboursé sans pénalité (remboursement partiel ou total) uniquement à la fin d'un terme ; s'il s'agit d'une hypothèque ouverte, il peut être remboursé en tout temps. L'hypothèque peut être de premier ou de second rang. En cas de défaut ou de manquement aux clauses du contrat, les détenteurs de l'hypothèque de premier rang bénéficient évidemment d'une priorité sur ceux qui détiendraient une hypothèque de deuxième rang et sur tous les autres prêteurs.

Les principaux avantages de ce mode de financement, en autant que l'entreprise possède des immeubles et des terrains, sont les suivants :

- les frais d'émission et de négociation sont réduits au minimum ;
- les délais requis pour négocier et pour conclure une entente sont habituellement assez courts ;
- les restrictions et exigences particulières du prêteur pouvant limiter les activités de l'emprunteur sont ordinairement absentes ;

- les nouveaux biens immobiliers ne sont pas assujettis à la garantie ;

- le taux exigé, à cause de la qualité des garanties offertes, est ordinairement plus bas que celui auquel l'entreprise pourrait ordinairement emprunter.

2.5 LES OBLIGATIONS

Les obligations, contrairement aux autres types de financement présentés jusqu'ici, donnent lieu à la création de titres. Ce mode de financement n'est donc pas à la portée des petites entreprises, car elles ont rarement un accès direct au marché des capitaux organisé.

Les obligations sont des titres de dette pleinement garantis. Elles sont émises par les divers gouvernements ou par des sociétés et sont utilisées pour des besoins de fonds importants. Au lieu d'emprunter alors auprès d'une seule source, l'emprunteur peut vendre ses titres à plusieurs prêteurs mais bien évidemment à des conditions identiques. La garantie (dans plusieurs cas, l'hypothèque) est détenue par une société de fiducie qui l'administre dans l'intérêt des détenteurs de titres.

L'émission d'obligations permet à une grande entreprise d'obtenir des conditions d'emprunt plus avantageuses et de pouvoir recueillir des sommes très importantes qu'il serait difficilement possible d'obtenir autrement.

Pour ce type de financement, l'entreprise s'adresse à un courtier en valeurs mobilières qui s'occupera de préparer l'émission et de vendre les titres de dette. Le montant total du financement est séparé en différentes coupures (la plus fréquente est celle de 1 000 $ mais d'autres existent également : 5 000 $, 10 000 $, etc). L'émetteur des obligations, l'emprunteur, s'engage à verser les intérêts, habituellement tous les six mois, et soit à rembourser le capital à l'échéance, soit à verser de l'argent à un fonds d'amortissement. Ces versements seront habituellement utilisés pour racheter une partie des titres émis. Le taux d'intérêt est fixé au moment de l'émission et, dans la majorité des cas, il reste inchangé pour toute la durée de l'emprunt.

Les caractéristiques des obligations sont fort diverses et varient d'une émission à l'autre et d'un emprunteur à l'autre.

- ***Rachetables*** : l'emprunteur peut racheter ses obligations (rembourser sa dette) en tout ou en partie avant leur échéance en payant une prime. Cette prime est exprimée en pourcentage et décroît au fur et à mesure que la date d'échéance approche.

- ***Encaissables par anticipation*** : le prêteur (le détenteur de l'obligation) peut revendre les obligations à l'émetteur avant leur échéance.

- ***Convertibles*** : les obligations sont échangeables généralement en actions ordinaires de la société émettrice à un prix donné pendant une période spécifiée et à certaines autres conditions.

- ***À échéance prorogeable*** : les détenteurs de l'obligation peuvent en repousser l'échéance tout en continuant à recevoir les mêmes revenus d'intérêt.

- ***À taux variable*** : le taux d'intérêt est rajusté périodiquement, en général d'après le taux préférentiel, afin de suivre l'évolution des marchés financiers.

- ***À fonds d'amortissement*** : l'emprunteur dépose chaque année dans un fonds en fiducie un montant destiné à garantir le remboursement des obligations à l'échéance. Les sommes versées servent généralement à racheter une partie des obligations.

2.6 LES DÉBENTURES

Les débentures sont des titres d'emprunt semblables aux obligations sauf qu'elles ne sont pas garanties par un privilège spécifique sur les biens ou les actifs de la société. En général, la garantie repose principalement sur la solvabilité de l'emprunteur. Certaines caractéristiques, en plus de celles se rapportant aux obligations, sont propres aux débentures et concernent les garanties.

- ***Non garanties*** : il s'agit alors d'un simple engagement de payer de la part de l'emprunteur. En cas de liquidation, les débentures se situent au même rang que les autres dettes générales et non garanties. Ce type d'emprunt est surtout utilisé par les entreprises qui ont une excellente réputation et une très grande solidité financière.

- ***Partiellement garanties*** : la valeur des immobilisations données en garantie n'est pas suffisante pour couvrir lemontant intégral de l'emprunt, contrairement aux obligations qui sont pleinement garanties. Dans le cas des débentures, l'emprunteur accorde le plus de garanties possible.

- ***À charge flottante*** : il s'agit d'un privilège général sur l'entreprise et sur tout ce qu'elle possède. Tant qu'il n'y a pas défaut, elle est entièrement libre de disposer de tous ses biens dans le cours normal de ses activités : les vendre, les remplacer, les donner en garantie, etc. En cas de défaut, la charge se cristallise, devient fixe et acquiert une priorité sur tous les prêts non garantis.

- ***À sûreté négative (negative pledge)*** : même si les débentures ne sont pas garanties, l'entreprise émettrice ne pourra contracter aucun emprunt garanti ayant un privilège égal ou supérieur aux débentures émises, à moins de faire en sorte que ces dernières soient aussi bien garanties. Cette règle prévaut aussi longtemps que la dette n'est pas entièrement remboursée.

- ***Subordonnées*** : non seulement ces débentures ne sont pas garanties, mais elles sont expressément subordonnées au remboursement en entier et préalable de toutes les dettes garanties de l'entreprise.

Les débentures font souvent partie des montages financiers offerts par les sociétés de capital de risque. En effet, les débentures offrent beaucoup de flexibilité et permettent aux investisseurs de façonner à leur goût les conditions du financement offert. Cela permet ainsi de créer des modes de financement hybrides qui s'apparentent beaucoup plus à des fonds propres qu'à de la dette traditionnelle.

2.7 LA DETTE PARTICIPATIVE

La dette participative permet à l'emprunteur d'obtenir du financement par dette, même si sa situation ne le permet ordinairement pas, en offrant au prêteur la possibilité d'obtenir une rémunération plus grande que les formes de dette classiques. Le rendement offert comprend donc un taux d'intérêt normal et une prime afin de compenser le prêteur pour le risque supplémentaire qu'il accepte de prendre. Ces situations surviennent en général lorsque les garanties ne sont pas suffisantes mais que les flux monétaires futurs permettront vraisemblablement de respecter les exigences, par exemple, le financement d'une prise de contrôle ou d'un projet très risqué. La forme la plus fréquemment utilisée est la dette subordonnée (convertible en actions ordinaires ou non) et la plus popularisée est l'obligation de pacotille (*junk bond*), c'est-à-dire des titres de dette très risqués qui commandent des rendements très élevés.

Les formes de participation sont fort diverses et l'imagination est sans limite. Il peut s'agir d'une redevance sur les ventes, d'un pourcentage du bénéfice brut ou du bénéfice net, ou encore de tout autre arrangement permettant d'accorder au prêteur un rendement supérieur pour le risque qu'il encourt. L'entreprise pourra parfois racheter à prime son contrat avant échéance.

Un élément fondamental de la dette participative est la déductibilité des dépenses d'intérêt et, sur ce point, les lois fiscales sont très strictes. Il doit y avoir une obligation légale de payer les intérêts. Pour cette raison, beaucoup vont privilégier la prime de taux d'intérêt. Cette prime, dans le cadre d'un emprunt normal, varie de 0 à 5 %, mais atteint au moins 10 % pour un prêt participatif et peut même, dans des situations où le risque est très grand, s'élever à 20 %. Elle s'ajoute au taux préférentiel en vigueur. Les autres formes de participation les plus fréquentes sont le privilège de conversion et les droits d'achat d'actions à un prix fixe.

La valeur des privilèges offerts est surtout fonction du risque supporté par le prêteur et relève de la négociation avant tout. Plus les risques sont grands pour les prêteurs, moins la position des actionnaires devient risquée, et il faut s'attendre à payer pour transférer ainsi le risque à une autre partie.

Contrairement aux prêts classiques, il n'existe pas de marché établi pour ce type de financement, et il faut contacter des spécialistes en financement qui agiront comme intermédiaires. Bien des institutions pourraient être intéressées à participer à cette forme de financement mais n'ont pas, au Canada du moins, les compétences et l'expertise requises. Les caisses de retraite, en particulier, peuvent y trouver des avantages très attrayants. Dans ce domaine, il s'agit d'être créatif et de proposer des ententes intéressantes pour les deux parties.

La dette participative, même si elle est souvent associée au capital de risque, n'est pas un substitut pour des fonds propres et n'élimine pas le besoin d'engagement de la part des actionnaires et des propriétaires sous la forme de véritables capitaux permanents. Il s'agit d'un type de financement hybride qui se situe entre la dette classique et les fonds propres, autant en ce qui a trait au taux de rendement qu'aux contraintes imposées et à l'incidence sur le contrôle. Cette forme de financement intéresse certains bailleurs de fonds et remplit des besoins indéniables pour les entreprises.

Les besoins comblés par les institutions financières

La section précédente a permis de faire un inventaire des formes les plus usuelles de financement par dette. Maintenant, afin d'aider le lecteur à savoir où s'adresser pour obtenir le financement qui répond le mieux à ses besoins et surtout à bien choisir le partenaire qui contribuera au succès de son entreprise, nous présenterons une synthèse des services financiers offerts par les principales institutions financières en affaires au Canada. Il est bien entendu que la connaissance des principales caractéristiques et contraintes ainsi que des objectifs des différentes institutions financières est autant utile pour le choix d'un créancier que pour la négociation d'un meilleur financement.

L'identification précise de l'institution financière la plus apte à répondre aux besoins de l'entreprise et la mieux placée pour offrir un produit de financement particulier nécessite évidemment quelques recherches. L'Annexe II permet d'amorcer ces recherches en associant les principaux besoins de financement avec les formes de financement les plus appropriées et les principales catégories de bailleurs de fonds. Bien entendu, le nombre d'institutions à l'intérieur de chaque catégorie est parfois très grand et nous devons nous limiter à décrire ces catégories. Il est en effet impossible de proposer à chaque PME, dans le cadre du présent ouvrage, le jumelage optimal (besoin-produit-institution). Le nombre de facteurs à considérer est beaucoup trop grand.

Industrie Canada, par le truchement de son centre d'information à l'intention des entreprises sur Internet[1], a tenté de combler ce besoin. En effet, le site *$OURCES DE FINANCEMENT : Naviguez dans le labyrinthe des finances* présente un répertoire des fournisseurs de services financiers qui peuvent répondre aux multiples besoins des entreprises.

Les informations disponibles sont fournies par les fournisseurs de financement eux-mêmes qui, avec Industrie Canada, tentent de les garder à jour. Les variables utilisées pour faire ce jumelage (besoin-produit-institution) sont :

- la ville où l'entreprise exerce ses principales activités ;
- le secteur d'activité de l'entreprise ;
- le besoin de fonds précis ;
- le montant d'argent requis.

Malgré les efforts déployés et les moyens financiers d'Industrie Canada, les informations obtenues peuvent décevoir. Cependant, il s'agit d'une initiative pertinente qui constitue souvent un bon point de départ. Plus ce service sera utilisé par les entreprises, plus les gens qui l'ont créé auront des raisons de l'améliorer.

1. Le site est «strategis» : http://strategis.ic.gc.ca

1. LES BANQUES À CHARTE CANADIENNE

Les banques commerciales sont, dans le domaine du crédit, les institutions financières les plus importantes au Canada et demeurent, dans un certain sens, incontournables. Leurs champs d'intérêts sont multiples et la gamme des services qu'elles offrent dans chaque domaine d'activité est fort variée. Nous nous limiterons au secteur du financement de la PME, mais là comme ailleurs, les services offerts sont en perpétuelle évolution, principalement à cause de la concurrence, autant de la part des autres institutions financières que des autres banques et des changements survenus dans l'environnement juridique et technologique.

Une banque est en premier lieu un intermédiaire entre des épargnants et des emprunteurs. Les particuliers et les entreprises font d'abord des dépôts, et la première responsabilité de la banque est d'en assurer la sécurité. La banque garantit donc à chaque épargnant qu'il pourra recouvrer, à temps, la totalité des sommes déposées. Lorsqu'on négocie un financement avec une banque, il faut être conscient qu'il s'agit de l'argent des épargnants et que ceux-ci ne veulent absolument pas risquer de perdre leur argent. La banque, dans sa fonction première, n'est qu'un intermédiaire entre des épargnants et des emprunteurs et, par ce fait, est limitée dans sa capacité et son désir de tolérer des risques.

Compte tenu de cette caractéristique première des banques, il est possible de mieux accepter leurs exigences élevées en matière de garantie et de mieux comprendre pourquoi elles ne peuvent participer directement à la propriété des entreprises. Les banques doivent agir avant tout comme fiduciaires de l'argent des autres et doivent par conséquent s'assurer qu'elles peuvent en tout temps remettre cet argent au complet à ceux-ci.

Évidemment, nous vivons dans un système capitaliste, et le fait de prendre certains risques permet d'augmenter l'espérance de rendement. Les banques n'échappent pas à cette règle et doivent se maintenir sur une frontière assez mince entre une rentabilité satisfaisante et le risque minimal qu'elles peuvent accepter en tant que fiduciaires.

Les banques n'ont évidemment pas le monopole pour remplir ce rôle d'intermédiaire, et d'autres institutions comme les coopératives de crédit ont sensiblement le même comportement. Au Canada, les institutions de crédit occupent certains créneaux et domaines d'expertise dans lesquels elles ont acquis une bonne expérience et beaucoup de connaissances. Traditionnellement, ces spécificités ou ces secteurs de marché ont permis aux banques canadiennes de réaliser de bonnes affaires. La question n'est pas de déterminer si les banques réalisent trop de bénéfices mais plutôt si elles acceptent de supporter suffisamment de risques. La réponse peut être fournie non pas par des études mais bien par une plus grande concurrence.

Les banques sont des entreprises à but lucratif et elles facturent évidemment des frais pour les services qu'elles offrent. Leur objectif est de maximiser la rentabilité pour les propriétaires, et il ne faut pas s'étonner qu'elles cherchent à obtenir les prix les plus élevés possibles par rapport à leurs coûts. Il faut toutefois s'assurer qu'elles ne jouissent pas d'un avantage indu ou qu'elle ne bénéficient pas de certaines exclusivités. Pour qu'un prix soit juste, il faut qu'il soit établi dans un marché libre, c'est-à-dire un marché où la concurrence la plus grande existe. Les profits sont alors fonction de l'efficacité des opérations et des risques assumés.

Les frais usuels exigés par les banques[2] lors d'une demande de prêt comprennent des frais d'évaluation, des frais d'administration et des frais de crédit (le taux d'intérêt). Les frais d'évaluation sont en fait une commission que doit payer l'entreprise pour faire évaluer son dossier. Ils servent à dédommager la banque des démarches qu'elle entreprend pour obtenir les antécédents de crédit de l'entreprise, pour évaluer son plan d'affaires et, s'il y a lieu, pour vérifier les références fournies par les principaux administrateurs. Ces frais peuvent être un montant fixe ou correspondre à un pourcentage du montant de prêt demandé.

Les frais d'administration, ordinairement un montant fixe payé mensuellement ou annuellement, ont pour fonction de dédommager la banque pour les coûts de surveillance du compte et du suivi de la convention de prêt.

Le taux d'intérêt représente le coût le plus important et est principalement établi en fonction de l'échéance (plus elle est longue, plus le taux est élevé) et du risque de l'emprunteur. Habituellement, il s'agit du taux préférentiel auquel la banque ajoute une prime pouvant atteindre 4 %.

La nature très souvent fixe des frais d'évaluation et d'administration fait augmenter de manière assez substantielle le coût global des montants d'emprunt peu élevés. Il devient alors important de s'informer de tous ces frais dès les premiers contacts avec le directeur de compte. Ces frais sont évidemment négociables et les entrepreneurs ne doivent pas hésiter. Faire l'effort de contacter plusieurs institutions financières est ordinairement rentable, même

---

2. Ces frais sont communs à la très grande majorité des institutions financières qui offrent des prêts aux entreprises.

si l'entreprise doit à chaque fois payer pour faire évaluer son dossier. Les chances d'obtenir de meilleures conditions seront certainement accrues, même si les coûts chargés aux PME demeureront toujours proportionnellement plus élevés que ceux que doivent verser les grandes entreprises.

Dans leur ensemble, les banques se sont spécialisées pour satisfaire aux besoins de crédit à court terme des entreprises : marge de crédit, prêt sur découvert, financement provisoire et lettre de crédit[3]. Elles sont aussi de plus en plus actives dans le domaine du crédit à moyen terme où elles privilégient les échéances de un à sept ans : le prêt à terme, le prêt garanti par l'État, le crédit-bail et le financement des franchises. La grande majorité des banques offrent aussi des services de gestion de trésorerie particulièrement utiles pour les PME : service de la paie, virement de fonds automatique, encaissement de sommes dues et service de consolidation de soldes. Enfin, les banques offrent des services internationaux de commerce extérieur : le tirage de traites, les contrats de change à terme et autres. Il est bon de rappeler que la majorité des services offerts aux entreprises par les banques sont centralisés dans leurs bureaux régionaux.

En conclusion, il est permis d'ajouter que les banques ont depuis quelque temps entrepris de faire une véritable cour aux PME et aux travailleurs autonomes. Régulièrement, elles annoncent de nouveaux produits et services taillés à leur mesure, et la liste ne cesse de s'allonger. Les formules concoctées pour offrir ces soi-disant nouveautés traduisent bien le courant qui se dessine (*L'allié naturel de la PME, Votre conseiller bancaire, Une formule taillée sur mesure*, et ainsi de suite, de surenchère en surenchère).

---

3. Au besoin, revoir la description de ces modes de financement au chapitre précédent.

L'entrepreneur doit néanmoins se rappeler que les banques demeurent des prêteurs conservateurs, qu'elles exigent de sa part une implication financière importante et qu'elles insistent pour obtenir des garanties de premier ordre (comptes clients, stocks, immeubles et équipements) avec en plus, bien souvent, des garanties personnelles. Les pertes sur mauvaises créances ne doivent pas excéder ½ de 1 % et,pour que cet objectif soit atteint, les banques doivent s'assurer que le prêt consenti à une entreprise a plus de 99 % des chances d'être remboursé intégralement.

Les plus importants critères des banques demeurent la confiance qu'elles peuvent avoir dans les capacités administratives des dirigeants, dans leur intégrité et dans la viabilité de l'entreprise.

2. LES COOPÉRATIVES DE CRÉDIT

Les coopératives de crédit représentent les principaux concurrents des banques à charte canadienne. Au Québec, il s'agit essentiellement du Mouvement Desjardins. Leur rôle en matière de financement des entreprises est le même que celui des banques, c'est-à-dire qu'elles prêtent l'argent qui appartient à leurs membres. Les caisses considèrent cependant leur rôle dans le développement économique selon une perspective qui leur est particulière, juxtaposant la mission sociale à la notion de profit économique. Cette différence de perspective ne sera aucunement perceptible pour la très grande majorité de la clientèle commerciale. En effet, depuis la disparition de la Commission de crédit, la façon des caisses de traiter les entreprises et la gamme des services offerts font en sorte qu'il n'y a pas d'avantage ou d'inconvénient systématique majeur à devenir le client d'une banque ou d'une caisse.

Une faible proportion d'entreprises voient cependant des avantages significatifs de pouvoir faire affaire avec une caisse : bien souvent, ces entreprises ne satisfont pas aux critères des banques et ont été refusées. La caisse, à cause d'une expertise particulière et d'une meilleure intégration dans son milieu, plaçant son rôle social au-dessus de la notion de profit, acceptera ces clients considérés marginaux aux yeux d'une banque. Il ne s'agit pas d'une charité mal placée ou de l'acceptation de mauvais risques mais bien d'une pondération différente des critères qui permet d'accorder des montants de prêt plus élevés.

Les différentes caisses ont une autonomie très restreinte et se limitent habituellement aux prêts de moins de 500 000 $. Quand la demande de crédit excède ce montant, les fédérations régionales prennent le relais, car elles ont les ressources et surtout l'expertise pour autoriser des prêts pouvant atteindre 20 millions de dollars. Même si elles ne prêtent pas directement, les fédérations encadrent les normes de crédit et permettent à une caisse, lorsque la limite de crédit est dépassée, de partager un prêt important avec d'autres caisses ou avec une société du Mouvement. Enfin, la Caisse centrale Desjardins, le banquier des caisses et des différentes fédérations, se spécialise dans les prêts importants (la moyenne est de plusieurs millions de dollars) et dans les prêts participatifs.

Ce ne sont pas toutes les caisses qui font du crédit commercial et industriel ou qui ont acquis une grande expertise dans ce domaine. Nous assistons cependant à des changements de taille au sein du Mouvement Desjardins : fusion de caisses, mise en commun d'expertise et regroupement d'activités. Les caisses adoptent de plus en plus le modèle bancaire et ce, pour le grand bénéfice des entreprises et du développement économique.

Les institutions du Mouvement Desjardins ont elles aussi entrepris de courtiser les PME et les travailleurs autonomes. Le *Programme financier Desjardins travailleurs autonomes et micro-entreprises* a été la première initiative québécoise dont l'objectif consistait précisément à servir ce type de clientèle.

3. LES BANQUES ÉTRANGÈRES

Au Canada, les banques étrangères se sont constituées par suite de la modification de la *Loi sur les banques* en 1980. Elles représentent actuellement une source de capitaux assez importante pour les entreprises canadiennes et se différencient des grandes banques canadiennes par leur dynamisme. Leur spécialité est le marché de la moyenne entreprise. Chacune d'elles a tendance à se spécialiser en privilégiant certains secteurs bien ciblés, par exemple l'import-export, l'immobilier ou les pâtes et papiers.

Les banques étrangères offrent aux entreprises à peu près la même gamme de produits et services que les autres banques. À court terme, on retrouve la marge de crédit et le financement temporaire. À moyen et long terme, elles offrent des prêts à terme et des prêts hypothécaires. Leurs modalités sont similaires à celles des autres banques (taux d'intérêt, garanties et durée des prêts). Cependant, comme elles désirent augmenter leur part de marché, elles ont tendance à être plus agressives et cela, pour le plus grand bénéfice des entreprises.

4. LA BANQUE DE DÉVELOPPEMENT DU CANADA

La Banque de développement du Canada (BDC) est une société d'État qui favorise la création et le développement d'entreprises au Canada. Elle s'intéresse plus particulièrement aux petites et moyennes entreprises qui sont en expansion et qui n'ont pas encore atteint une taille suffisante pour accéder aux marchés financiers organisés. Son rôle se veut d'abord complémentaire, dans le sens que les services offerts s'adressent surtout à des entreprises qui ne peuvent pas combler tous leurs besoins de capitaux au moyen du financement bancaire traditionnel et du réinvestissement de leurs bénéfices.

La BDC est la seule institution qui constitue un comptoir unique où l'on peut retrouver quatre types de services taillés sur mesure pour la PME : services financiers (prêt, prêt à redevances et cautionnement de prêts), services de gestion-conseil (consultation, planification et formation), capital de risque et, en collaboration avec d'autres institutions financières, services de soutien à l'exportation. Différentes brochures décrivant ces services sont disponibles dans toutes les succursales de la BDC. Nous nous limiterons ici à donner à titre d'exemple les grandes lignes de certains services qui lui sont propres :

- Le ***Programme micro-entreprise*** allie consultation, formation et financement, habituellement sous forme de prêt, jusqu'à un maximum de 50 000 $. Dans le cas d'une nouvelle entreprise, le maximum est cependant de 25 000 $.

- Le ***Capital patient*** est un financement à long terme destiné aux entreprises basées sur le savoir, le capital intellectuel et l'actif incorporel. Le financement offert s'apparente à des fonds propres, en ce sens qu'il n'a pas d'échéance prédéterminée, et peut atteindre 500 000 $.

- Le ***Fonds de croissance*** inclut les prêts permettant de financer les besoins de fonds de roulement jusqu'à un maximum de 100 000 $ et des prêts à redevances ou participatifs pouvant atteindre 1 000 000 $. Ces prêts s'adressent aux entreprises en forte croissance, ayant peu d'actifs corporels à offrir en garantie mais présentant de bonnes perspectives de flux monétaires. Il s'agit dans ces deux cas de financement complémentaire qui s'ajoute à celui obtenu auprès des prêteurs traditionnels. Évidemment, les garanties n'étant pas toujours suffisantes, l'entreprise doit s'attendre à payer plus cher.

Au cours des dernières années, la BDC a considérablement modifié son image et rendu ses produits et services plus accessibles. La nouvelle *Loi sur la Banque de développement du Canada*, sanctionnée en juillet 1995, offre d'immenses possibilités aux entreprises qui ont des besoins de capitaux. Le rôle de la BDC est maintenant d'agir comme prêteur complémentaire, non plus comme un prêteur de dernier recours, et ses services s'ajoutent à ceux offerts par les institutions financières du secteur privé. Ce rôle de complémentarité est bien réel depuis la conclusion d'ententes avec la majorité des grandes banques canadiennes ou avec leurs filiales. Ainsi, les entreprises peuvent s'adresser à une sorte de guichet unique pour obtenir à la fois des conseils et du financement. Elles peuvent y soumettre des demandes portant aussi bien sur une marge de crédit ou sur un prêt à terme que sur un financement sous forme de capital de risque.

5. LA CAISSE DE DÉPÔT ET PLACEMENT DU QUÉBEC

La Caisse de dépôt et placement du Québec (CDPQ) a créé plusieurs filiales dans le but d'aider les entreprises à financer leur croissance. Ces filiales regroupent au moment de la publication de ce volume plusieurs sociétés d'investissement spécialisées dans divers créneaux : investissements inférieurs à un million de dollars dans les petites et jeunes entreprises (Capital CDPQ), le secteur des moyennes et grandes entreprises (Capital d'Amérique CDPQ), les secteurs des communications et des télécommunications (Capital Communications CDPQ), le secteur des entreprises d'innovation technologique (Sofinov) et le secteur des entreprises s'intéressant à un réseau international (Capital international CDPQ). Ces filiales s'intéressent particulièrement aux entreprises rentables qui présentent de fortes perspectives de croissance et sont regroupées dans le Groupe Participations Caisse GPC.

Afin de montrer l'implication de la Caisse dans le financement de la PME, voici une description du Groupe Participations, qui regroupe l'ensemble des activités de la Caisse dont l'objectif est d'investir directement dans les entreprises. En 1997, la valeur de son portefeuille atteignait 3,5 milliards de dollars et représentait 5,7 % de l'ensemble de l'actif de la Caisse. Plus de 50 employés oeuvrent au sein des différentes filiales et le bilan de la dernière année fait état d'un grand nombre de réalisations. En effet, le GPC affiche 140 participations directes et 30 participations indirectes qui totalisent plus de un milliard de dollars d'investissement dans des entreprises, pour la plupart des PME québécoises. Les récents efforts de la Caisse dans le domaine du financement direct dans les entreprises en ont fait un organisme incontournable au Québec.

Dans le secteur des plus petites entreprises, la Caisse, par l'intermédiaire de son réseau régional d'investissement (Accès Capital) peut répondre à des besoins de financement de 50 000 $ à 750 000 $. Ce réseau d'affaires compte actuellement dix sociétés d'investissement à travers le Québec et met à la disposition des PME un capital totalisant 60 millions de dollars. Les jeunes entreprises sont admissibles, incluant celles en démarrage, à la condition qu'elles soient parrainées par des incubateurs d'entreprises reconnus à travers le Québec.

6. LE FONDS DE SOLIDARITÉ DES TRAVAILLEURS DU QUÉBEC

Le Fonds de solidarité des travailleurs du Québec (FSTQ) est une société de capital de développement qui fait publiquement appel à l'épargne et à la solidarité des membres de la Fédération des travailleurs du Québec (FTQ) et de l'ensemble de la population québécoise.

Le Fonds a un double objectif dans ses projets d'investissement, soit optimiser son rendement ainsi que créer et maintenir des emplois au Québec. Ses décisions d'investissement se basent sur une analyse financière du développement économique du Québec ainsi que sur la sauvegarde ou la création d'emplois.

Le Fonds de solidarité est une société de capital de risque et devient actionnaire minoritaire dans les entreprises où il s'implique. Il demande ordinairement un siège au conseil d'administration et exigera évidemment une convention d'actionnaires qui s'apparente à maints égards à celles imposées par les autres investisseurs en capital de risque. Évidemment, comme il s'agit d'un fonds syndical, il faut parfois s'attendre à des exigences particulières en ce qui concerne les obligations de l'employeur envers ses employés.

Le Fonds offre des outils de financement usuels tels que les actions ordinaires, les prêts participatifs, les garanties de prêts et le cautionnement[4]. Il s'intéresse aux projets de démarrage, d'expansion, de consolidation, de redressement, de fusion et d'acquisition d'entreprise.

L'entreprise admissible doit avoir son siège social au Québec, la majorité de ses employés doivent y résider et plus de 50 % des emplois doivent se trouver au Québec. Elle doit oeuvrer dans le secteur de la fabrication, des services ou dans le secteur tertiaire moteur. Elle doit posséder un actif de moins de 50 millions de dollars ou une valeur corporelle nette d'au plus 20 millions.

Le siège social du Fonds (FSTQ) s'intéresse aux projets de financement dépassant 500 000 $. La limite supérieure est de 50 millions de dollars. Les besoins se situant entre 50 000 $ et 500 000 $ sont comblés par les Fonds régionaux. Les besoins inférieurs à 50 000 $ sont comblés par les Sociétés locales d'investissement dans le développement de l'emploi (SOLIDE).

Les Sociétés locales (SOLIDE) ont été mises sur pied par la FTQ avec, comme partenaire principal, les municipalités régionales de compté (MRC). La capitalisation de chaque SOLIDE est de 500 000 $ et le financement minimal offert est de 5 000 $. Les projets financés sont de très petites entreprises en démarrage, en expansion ou en restructuration financière.

---

4. Le cautionnement est traité en détail dans le prochain chapitre.

Les formes de financement habituelles sont des prêts non garantis et des participations au capital de risque.

Ses deux sociétés partenaires (Fonds régionaux et SOLIDE) sont des centres d'investissement décentralisés et autonomes dont l'action et les efforts sont dirigés vers le développement d'un secteur d'activités précis.

7. LA SOCIÉTÉ DE DÉVELOPPEMENT INDUSTRIEL

La Société de développement industriel (SDI) est un organisme du gouvernement québécois dont la mission est de contribuer au développement économique du Québec en rendant possible la réalisation de projets qui dépassent le seuil de risque des institutions financières traditionnelles. Il s'agit du pendant québécois de la Banque de développement du Canada (BDC), même si la philosophie et les services sont différents. Nous ne tenterons pas de décrire ici toute la panoplie de services de la SDI, car celle-ci produit des brochures à cette fin. Nous présenterons donc un résumé des principaux produits qui lui sont propres.

- La ***garantie de prêt*** permet à une entreprise d'obtenir auprès de la SDI une garantie couvrant entre 60 et 90 % du montant du prêt négocié auprès d'une institution financière traditionnelle. Les honoraires se chiffrent à 1,5 %.

- Le ***prêt pour le soutien au démarrage d'entreprise*** permet le financement d'immobilisations et des besoins de fonds de roulement. Le montant maximal d'emprunt est de 50 000 $ et ne peut être obtenu que si l'entreprise a déjà bénéficié d'un premier prêt en vertu du *Programme d'investissement en démarrage d'entreprise (le plan Paillé)*.

- La ***Société de placement dans l'entreprise québécoise*** *(SPEQ)* est une société privée enregistrée à la SDI et dont les actionnaires sont des particuliers ou des sociétés de capital de risque. Une SPEQ a pour fonction de souscrire au capital de risque des PME québécoises, à titre d'actionnaire minoritaire.

8. LA SOCIÉTÉ POUR L'EXPANSION DES EXPORTATIONS

La Société pour l'expansion des exportations (SEE) est un organisme du gouvernement fédéral qui offre plusieurs services financiers permettant aux entreprises exportatrices de réduire les risques auxquelles elles s'exposent lorsqu'elles vendent à l'étranger[5]. Les services offerts par la SEE sont fort nombreux et sont regroupés en trois grandes catégories : les services de gestion des risques, les services de financement et les services d'expert-conseil. La SEE est un organisme presque incontournable pour toute PME qui exporte. À l'instar des autres institutions, la SEE distribue d'excellentes brochures d'information qui décrivent en

5. D'autres organismes offrent aussi des services aux entreprises exportatrices, notamment l'Agence canadienne de développement international (ACDI) et la Corporation commerciale canadienne (CCC). Même si leurs activités concernent peu le financement des entreprises, elle peuvent aider à la prospection de marché et à la conclusion d'ententes.

détail tous les services disponibles.[6] Nous nous limiterons à citer quelques exemples pour illustrer les services les plus importants :

- La ***garantie générale sur les créances*** est un programme par lequel la SEE s'associe avec une institution financière pour augmenter la marge de crédit d'exploitation de l'entreprise exportatrice, jusqu'à concurrence de 500 000 $.

- L'***assurance-crédit*** à l'exportation offre une couverture allant jusqu'à 90 % des pertes qui peuvent survenir à cause de risques commerciaux et politiques.

- Le ***prêt direct à l'acheteur*** est accordé pour toute transaction d'exportation dont les modalités de paiement dépassent deux ans.

- L'***achat de billets à ordre*** est un mécanisme conçu pour les petites et moyennes transactions. La SEE achète elle-même les billets émis par les acheteurs étrangers, garantissant ainsi à l'exportateur qu'il sera payé.

- Le ***financement pré-expédition*** est un financement direct qui couvre certains coûts d'immobilisation initiaux liés aux contrats d'exportation à long terme.

---

6. L'ouvrage *La gestion des risques financiers* par Marc-André Lapointe, publié dans la même collection , décrit la plupart des services offerts par la SEE.

9. LES SOCIÉTÉS DE CAPITAL DE RISQUE

Les sociétés de capital de risque privilégient les entreprises rentables et en croissance. Elles comblent habituellement les besoins en vue de financer l'augmentation de la capacité de production, l'expansion des marchés pour les produits et services, la recherche et le développement ainsi que la consolidation des besoins de fonds de roulement. Les besoins financiers sont généralement de l'ordre de 1 à 5 millions de dollars.

Les formes et les modalités d'une participation en capital de risque peuvent être fort variées, et il n'existe pas de règle immuable en ce domaine. Chaque transaction peut être structurée de façon à mieux servir autant les intérêts de l'entreprise que ceux de l'investisseur. Les instruments de base sont évidemment les actions ordinaires, mais les actions privilégiées et les dettes de rang inférieur sont aussi utilisées. Ces titres peuvent aussi présenter certaines caractéristiques : convertibilité, droit de souscription, participation aux bénéfices, droit de vote et mécanisme de rachat.

10. LES SOCIÉTÉS D'ASSURANCE

Les sociétés d'assurance fournissent aussi des fonds aux entreprises mais concentrent habituellement leur intervention dans le domaine du prêt hypothécaire. Certaines ont cependant étendu leurs activités en accordant du financement provisoire (toujours pleinement garanti), des cautionnements[7] et de l'assurance-crédit.

7. Les cautionnements sont décrits au chapitre suivant.

Même s'ils ne constituent pas directement des formes de financement, ces deux derniers éléments y sont intimement liés.

De façon générale, le ***cautionnement*** consiste à garantir l'exécution d'une obligation et est généralement requis par les autorités fédérales, provinciales et municipales lorsqu'elles accordent des contrats de construction. Il permet de garantir que les travaux de construction seront achevés en conformité avec le contrat. Le donneur d'ouvrage, que ce soit un gouvernement ou n'importe qui d'autre, peut ainsi s'assurer que le plus bas soumissionnaire exécutera les travaux conformément aux devis, que le prix soumissionné sera respecté et que les sous-traitants seront payés.

Trois personnes font partie d'une activité de cautionnement : d'abord le débiteur principal, c'est-à-dire celui qui contracte l'obligation (l'entreprise de construction), ensuite la caution qui garantie l'exécution de l'obligation (la société de cautionnement) et enfin le créancier qui exige la garantie (le donneur d'ouvrage).

Le cautionnement permet au donneur d'ouvrage, lorsqu'il s'agit d'une entreprise privée, de négocier de meilleures conditions de financement. En effet, puisque une société de cautionnement garantit l'exécution du contrat, le donneur d'ouvrage peut assurer le prêteur que le coût de construction ne sera pas dépassé même si l'entrepreneur n'a pas les moyens de faire face à des dépassements de coûts. Il est également rassurant pour le prêteur de savoir que les hypothèques légales publiées par les sous-traitants sur un immeuble en cours de construction pourront être réglées par une société de cautionnement ou une compagnie d'assurance.

Pour sa part, l'entrepreneur général qui obtient un cautionnement jouit d'une plus grande marge de manoeuvre pour négocier avec les sous-traitants et les fournisseurs, ce qui lui permettra d'obtenir des prix plus avantageux et des conditions de crédit plus souples compte tenu qu'il offre une garantie de paiement au moyen du cautionnement. Notons qu'il est très rare que la société d'assurance ait elle-même à payer car elle a toujours plein recours envers l'entrepreneur, celui-ci ayant aussi cautionné personnellement. Les coûts sont établis en fonction du risque de l'entreprise et se situent habituellement entre 0,5 et 2,5 % du coût du contrat.

L'***assurance-crédit***, comme toute autre police d'assurance, offre à l'entreprise une indemnisation en cas de pertes et permet de réduire les risques. Les risques couverts comprennent généralement autant le non-paiement d'une créance à la suite d'une faillite que les retards prolongés dans le paiement causés par les difficultés financières d'un client. La prime varie de 0,25 à 1 %, s'applique à l'ensemble des comptes clients de l'entreprise et est établie en fonction de leur qualité moyenne.

L'assurance-crédit, en plus de protéger la petite et moyenne entreprise contre la faillite d'un client important, lui permet de renforcer sa position lors de la négociation avec les institutions prêteuses, car le fait d'assurer les comptes augmente leur valeur. Les pertes sur crédit représentent pour la PME la plus importante catégorie de pertes, et les comptes clients demeurent depuis toujours les actifs les moins assurés.

11. CONCLUSION : LE CHOIX D'UNE INSTITUTION FINANCIÈRE

Le décloisonnement et la concurrence de plus en plus vive entre les institutions financières favorisent les entreprises et leur permettent de choisir, de négocier et de diversifier leurs sources de financement. Le marché du financement, contrairement à la croyance populaire, est devenu un marché d'acheteurs. Les entreprises peuvent maintenant rechercher une institution financière qui a acquis une expertise dans leur secteur d'activités et insister pour que le responsable du compte accepte de faire les efforts nécessaires en vue de comprendre leurs besoins.

L'objectif de la négociation est de conclure une entente aux conditions les plus avantageuses possibles. Les documents qui devront être signés par la suite auront été rédigés par des avocats ou des notaires et apparaîtront fort complexes. Pour cette raison, l'ensemble des conditions de l'entente doivent être explicites et comprises avant l'étape finale des signatures. À cette fin, l'utilisation de la lettre d'offre comporte de grands avantages. Il s'agit de négocier le contenu de cette lettre d'offre, et les documents juridiques ne pourront alors que refléter ce contenu. Lorsqu'il s'agit d'ententes complexes, l'entreprise pourra aussi faire vérifier par son propre avocat la correspondance entre le contenu de la lettre d'offre et les documents juridiques.

La négociation ne doit pas porter uniquement sur le montant de l'emprunt et le taux d'intérêt mais sur chacune des clauses. Les coûts d'un financement peuvent augmenter considérablement à cause des garanties qui sont consenties et de l'inclusion de diverses obligations et restrictions. Il peut en effet coûter très cher à une entreprise d'être obligée de fournir des rapports, de ne pas pouvoir rembourser un emprunt avant l'échéance, de ne plus pouvoir emprunter ou de devoir obtenir des autorisations avant d'entreprendre divers projets.

Les entrepreneurs doivent savoir qu'il existe d'autres sources de financement que celles offertes par les six grandes banques et que celles-ci sont de plus en plus conscientes qu'il existe de la concurrence pour leurs services. Cela ne signifie pas pour autant que la recherche de financement soit devenue facile.

L'offre de produits et de services est maintenant plus grande et des choix existent mais, pour bien en profiter, il faut s'informer et bien connaître l'institution à laquelle on a l'intention de présenter une demande. Les politiques évoluent, les tarifs changent et de nouveaux produits apparaissent régulièrement.

Nous conseillons aux entrepreneurs de se procurer les documents publiés (brochures d'information, rapports annuels, articles de journaux ou de revues), mais le meilleur moyen de s'informer demeure une bonne discussion avec des clients faisant déjà affaires avec l'institution que l'on projette de contacter.

L'entrepreneur qui s'adresse à une institution financière pour obtenir un financement doit d'abord se vendre et vendre aussi son entreprise ou son projet. La clé du succès pour bien vendre est de connaître les besoins et savoir y répondre. À cette fin, rappelons les préoccupations fondamentales des institutions prêteuses :

- ***le caractère des dirigeants*** : les antécédents et les plans de l'entreprise démontrent-ils la compétence et l'intégrité des dirigeants ?

- ***la capacité de remboursement*** : l'entreprise générera-t-elle suffisamment de flux monétaires pour respecter les exigences créées par le financement demandé ?

- ***l'adéquation du capital*** : le degré d'implication des propriétaires est-il suffisant compte tenu du financement demandé ?

- ***la valeur des garanties ou le «collatéral»*** : advenant des événements malheureux, existe-t-il d'autres sources de fonds pour le remboursement ?

- ***la qualité du crédit*** : l'entreprise fait-elle un usage adéquat de la dette compte tenu de sa rentabilité, de son secteur industriel et de son stade de développement ?

Les garanties

Pour tout emprunteur, les garanties exigées par les prêteurs demeurent l'élément le plus difficile à négocier. L'objectif des prêteurs est réellement de s'assurer le plus possible que l'entreprise respecte ses engagements, peu importe les conditions et la situation à venir. Pour cela, l'entreprise devra consentir des privilèges précis sur des actifs, de sorte qu'en cas de manquement aux obligations énoncées, le prêteur puisse acquérir des droits réels sur les actifs en question.

Même si les institutions financières s'en défendent souvent, cette attitude prudente prédomine dans la majorité des cas, et l'obtention d'un emprunt sans aucune garantie est une aventure difficile, voire quasi impossible.

Les lois et règlements concernant la prise et la réalisation des garanties demeurent complexes même s'ils ont été grandement simplifiés depuis l'entrée en vigueur du nouveau Code civil le 1er janvier 1994. Nous ne présenterons ici qu'un résumé des facteurs essentiels que tout emprunteur doit considérer lorsqu'il accorde des garanties. De plus, chaque institution financière utilise ses propres documents, avec son propre vocabulaire et sa procédure particulière. Compte tenu de la nouveauté des modifications apportées à la loi, les pratiques n'ont pas fini d'évoluer, et l'emprunteur devra porter une attention spéciale au sens des mots utilisés dans les documents qu'on lui demandera de signer.

Le type de garantie exigée concorde habituellement avec le prêt demandé. Ainsi, les actifs que le prêt aura permis d'acquérir seront évidemment portés en garantie : équipement, bâtiment, matériel roulant, etc. De cette façon, les emprunts à court terme sont garantis par des actifs à court terme : comptes clients et stocks. Les emprunts à long terme sont garantis par des actifs à long terme : immeubles et équipements. Évidemment, il peut y avoir des exceptions. Par exemple, un emprunt à court terme, advenant que les garanties habituelles seraient épuisées, pourra être garanti par des actifs à long terme. Cependant, l'inverse n'est pas possible habituellement, et les entreprises devraient, pour conserver leur flexibilité financière, s'en tenir à la règle générale : toujours tenter de faire coïncider l'échéance de leur dette avec la durée de vie de leurs actifs et, par voie de conséquence, l'échéance des garanties avec celle de leurs dettes.

1. LA PROCÉDURE DE PRISE EN GARANTIE

Selon le nouveau *Code civil du Québec*, l'acte d'hypothèque devient, en somme, la seule procédure permettant à un prêteur de prendre en garantie les biens d'un emprunteur. Les documents nombreux et complexes qu'étaient l'acte de fiducie, le nantissement commercial, la cession des biens en stock et la cession générale des créances sont maintenant choses du passé. Depuis le 1er janvier 1994, tout prêteur, commercial ou autre, peut, au moyen d'un seul acte d'hypothèque, obtenir en garantie, en totalité ou en partie, les actifs présents et futurs d'un emprunteur, qu'il s'agisse des actifs immobiliers ou mobiliers.

L'hypothèque est un droit réel sur un bien qui peut s'exercer directement sans passer par une troisième personne. Ce droit est rattaché à une obligation (ordinairement le paiement d'intérêts et le remboursement d'un capital) dont l'hypothèque garantit l'exécution. En conséquence, ce droit disparaît automatiquement si l'obligation est satisfaite. Le droit suit le bien et peut s'exercer contre tout acquéreur subséquent qui en aura la possession. Ainsi, un acte hypothécaire comprend d'abord la promesse de payer et, en deuxième lieu, la garantie. La distinction n'est pas uniquement théorique et prend toute son importance en cas de défaut. Sauf exception, cela signifie que la réalisation de la garantie par le prêteur ne dégage pas l'emprunteur de régler tout solde du prêt n'ayant pas pu être remboursé sur les sommes obtenues lors de la réalisation. Par ailleurs, l'acte d'hypothèque (le contrat) est souvent accompagné d'une convention de prêt qui stipule une foule d'exigences et de restrictions concernant les activités de l'entreprise : paiement de dividendes, réorganisation ou fusion, paiement des salaires aux administrateurs, etc.

Toute personne physique qui exploite une entreprise ou toute personne morale (une société commerciale, par exemple) peut consentir une hypothèque sur ce qui lui appartient. Cette personne peut être tout autant le débiteur lui-même (l'emprunteur) qu'un tiers (la caution). N'importe quel bien saisissable (cela exclut notamment certains meubles d'une résidence principale) peut servir de garantie, et l'hypothèque peut être utilisée pour garantir tout type d'obligation, même s'il s'agit, dans la majorité des cas, d'obligations pécuniaires.

2. LA PUBLICITÉ DES GARANTIES

La publication des droits est somme toute assez simple, car elle ne requiert pas d'examen des titres. Il s'agit simplement d'un système d'inscription où la demande (la réquisition d'inscription) est présentée sous forme d'avis à l'aide de formulaires conçus à cette fin. Ces formulaires permettent d'identifier les parties en cause et de décrire les biens faisant l'objet de la garantie.

Tous les droits sur les biens meubles doivent être inscrits au *registre des droits personnels et réels mobiliers*. Il s'agit d'un registre informatisé et central pour toute la province. Les droits sur les biens immobiliers sont publiés au *registre foncier* de la circonscription où se trouve l'immeuble. Il existe environ 70 circonscriptions foncières au Québec et une vingtaine de points de service pour la consultation. Les inscriptions des droits se font dans les *bureaux de la publication des droits*.

La date du dépôt de la *réquisition d'inscription*, c'est-à-dire l'avis, prend une importance capitale puisqu'elle détermine le rang des droits. Au moment du dépôt, *l'officier de la publicité* remet au requérant un bordereau indiquant la date, l'heure et la minute du dépôt. C'est l'inscription qui rend en définitive l'hypothèque opposable aux tiers. Sans l'inscription au registre, l'hypothèque n'a pas de rang et, par conséquent, n'est pas opposable à qui que ce soit.

La durée *maximale* des droits, à moins d'un renouvellement, est de trente ans pour l'hypothèque immobilière (elle nécessite évidemment un acte notarié) et de dix ans pour l'hypothèque mobilière. Lorsque le droit est expiré, son inscription est automatiquement radiée.

3. LES CATÉGORIES D'HYPOTHÈQUE

Il existe cinq formes conventionnelles d'hypothèque correspondant aux différents actifs généralement offerts en garantie.

3.1 L'HYPOTHÈQUE IMMOBILIÈRE

L'hypothèque immobilière porte sur des terrains et bâtiments incluant, le cas échéant, les loyers pouvant être obtenus (article 2693 du Code civil). Ce type d'hypothèque requiert un contrat notarié (l'acte d'hypothèque).

3.2 L'HYPOTHÈQUE MOBILIÈRE SANS DÉPOSSESSION

Le prêteur prend alors en garantie les biens meubles d'une entreprise : équipement, machinerie, matériel roulant, matériel de bureau, etc. Seulement les personnes qui exploitent une entreprise, au sens très large, peuvent consentir ce type d'hypothèque, qui vise alors seulement les biens de l'entreprise. Le *Code civil du Québec* définit l'exploitation d'une entreprise comme l'exercice, par une ou plusieurs personnes, d'une activité économique organisée, qu'elle soit ou non à caractère commercial, consistant dans la production ou encore la réalisation de biens, leur administration ou leur aliénation ou dans la prestation de services (paragraphe 1525(3) du Code civil). En ce sens, les professionnels (avocat, comptable, ingénieur, etc.) exploitent bel et bien une entreprise.

Même si la forme notariée n'est pas obligatoire, l'acte d'hypothèque doit contenir une description assez précise des biens et être évidemment inscrit au registre des droits personnels et réels mobiliers.

3.3 L'HYPOTHÈQUE MOBILIÈRE AVEC DÉPOSSESSION

Cette hypothèque est créée par le seul fait de remettre au créancier un bien ou un titre pour garantir l'exécution d'une obligation. Nul besoin d'inscription (enregistrement ou publication) ni d'acte d'hypothèque (de contrat), car c'est le créancier qui garde le bien. Il est bien sûr fortement conseillé de tout consigner sans quoi il pourrait être difficile de prouver la propriété réelle du bien.

3.4 L'HYPOTHÈQUE OUVERTE

L'hypothèque ouverte, anciennement la charge flottante, grève soit certains biens, soit tous les biens d'une entreprise (meubles et immeubles, présents et futurs) et est évidemment réservée, par définition, aux personnes qui exploitent une entreprise. Les effets de cette garantie sont suspendus tant et aussi longtemps qu'il n'y a pas manquement aux obligations et que le créancier ne provoque pas la clôture de l'hypothèque (la cristallisation). Cette forme de garantie offre beaucoup de souplesse à l'emprunteur, car il conserve, tant qu'il n'y a pas clôture, tous les privilèges : vendre, échanger, modifier, donner en garantie, etc. Le lien sur les actifs ne s'établit qu'au moment où il y a clôture, c'est-à-dire manquement au contrat.

Le caractère ouvert (ou universel) doit être expressément stipulé dans l'acte de l'hypothèque, acte qui doit être obligatoirement enregistré au bureau de la publicité des droits.

Une deuxième inscription[1], l'avis de clôture, doit être faite en cas de manquement à l'obligation[2]. Cette deuxième inscription est très importante, car elle détermine le rang des droits sur les biens.

L'hypothèque ouverte est un type de garantie additionnelle qui s'ajoute aux autres garanties et qui avantage encore plus le prêteur. Rarement utilisée pour des biens immobiliers, elle accorde cependant au prêteur un lien spécifique sur tous les biens d'une entreprise non encore grevés par une autre hypothèque au moment de la fermeture.

3.5 L'HYPOTHÈQUE SUR LES CRÉANCES

Une hypothèque grevant les créances, en grande partie constituées de comptes clients, est la garantie la plus utilisée par les institutions financières lorsqu'elles consentent des emprunts à court terme, particulièrement une marge de crédit. La garantie peut porter sur une créance particulière ou, ce qui est beaucoup plus fréquent, sur l'ensemble des créances. Dans ce cas, le privilège créé vise l'encaisse, les comptes clients et les effets à recevoir

---

1. Au registre des droits personnels dans le cas des biens meubles corporels ou au registre foncier du bureau de la publicité des droits de la circonscription foncière où est situé l'immeuble.

2. Les cas de défaut sont ceux prévus dans l'acte d'hypothèque. Il peut s'agir, par exemple, du cas où l'emprunteur ne fait pas un versement à son échéance, devient insolvable, consent une autre hypothèque sur les biens grevés, fait l'objet d'une saisie ou diminue sensiblement la valeur des biens hypothéqués.

(actuels et futurs), de même que toutes les sommes que l'entreprise peut recevoir dans certains cas à la suite de procédures diverses (remboursement de TPS ou de TVQ, remboursement d'impôts, etc).

Le créancier peut percevoir directement les créances ou peut donner à l'emprunteur l'autorisation de le faire, comme c'est habituellement le cas. Cela signifie que le créancier qui veut être payé directement peut simplement aviser et percevoir directement. Les frais engagés pour la perception (s'il y a lieu) demeurent à la charge de l'emprunteur.

4. LES DROITS ET RECOURS DU CRÉANCIER HYPOTHÉCAIRE

Au moment de la constitution de l'hypothèque, le créancier hypothécaire obtient un droit sur les actifs grevés par l'hypothèque. Le moment de l'inscription, cependant, devient très important, car il détermine le rang de l'hypothèque : si un créancier est la deuxième personne à publier une hypothèque, son recours sera subordonné à celui du créancier de premier rang. De plus, les droits du créancier sont subordonnés, dans quelques cas, à certaines priorités et aux hypothèques légales, c'est-à-dire à certains droits émanant d'une loi et qui ne nécessitent pas un acte ou une convention d'hypothèque.

Les principales priorités sont les frais de justice, les créances des municipalités et des commissions scolaires pour les impôts fonciers sur les immeubles qui y sont assujettis et les créances de l'État pour les sommes dues en vertu de lois fiscales. Les principales hypothèques légales sont encore une fois les dettes fiscales, les sommes dues à des personnes ayant participé à des travaux de construction et de rénovation d'un immeuble et les créances qui résultent d'un jugement de la Cour.

4.1 LES MESURES PRÉALABLES À L'EXERCICE DES DROITS DU CRÉANCIER

D'abord, il doit y avoir manquement aux obligations du débiteur pour que le créancier puisse exercer ses droits et celui-ci doit avertir le débiteur de ce manquement et faire état des recours qu'il entend prendre. L'avis est un préavis d'exercice qui accorde 10, 20 ou 60 jours au débiteur à partir de la date d'inscription. Le nombre de jours est prévu dans le Code civil et dépend des biens donnés en garantie ; pour les immeubles, le délai accordé est de 60 jours, pour les biens meubles, il est de 20 jours et, dans le cas de l'exercice d'une prise de possession pour fins d'administration, il est de 10 jours. Entre-temps, si le créancier veut changer de recours, il lui faut inscrire un autre avis et accorder un autre délai.

Les moyens qu'a le débiteur pour remédier au défaut sont prévus dans le Code civil. Il peut évidemment rembourser au complet ce qui est dû ou simplement remédier à l'omission en payant au créancier les sommes en souffrance plus les frais engagés par ce dernier. L'autre moyen est le délaissement, c'est-à-dire la remise du bien. Le délaissement peut être volontaire ou bien ordonné par le tribunal, mais seulement à partir du moment où le délai accordé est écoulé.

4.2 LA PRISE DE POSSESSION POUR ADMINISTRER

La prise de possession à des fins administratives est applicable uniquement à des biens d'entreprise et permet d'administrer temporairement les biens hypothéqués (ou d'en confier l'administration à quelqu'un d'autre). *Administrer* doit être interprété au sens large et signifie que le créancier peut agir comme si le bien lui appartenait. Évidemment, le créancier gardera les revenus générés par le bien jusqu'au remboursement complet de son dû, capital, intérêts et frais engagés. Il pourra aussi hypothéquer à nouveau le bien et en changer la nature sauf l'aliéner, car cette dernière mesure relève d'un autre recours.

4.3 LA PRISE EN PAIEMENT

La prise en paiement permet au créancier de devenir propriétaire du bien hypothéqué. Dans ce cas, le créancier perd tous ses recours contre l'emprunteur et tout solde dû s'annule automatiquement. Ce recours peut être exercé à la discrétion du créancier s'il y a *moins* de 50 % de l'emprunt déjà remboursé. Dans le cas contraire, le créancier doit obtenir soit l'autorisation de la cour soit le consentement de l'emprunteur.

Contrairement à la prise de possession pour administrer, le créancier hypothécaire devient propriétaire du bien rétroactivement à la date d'inscription de l'avis de la prise en paiement. À ce moment, toutes les hypothèques postérieures à la sienne s'annulent, mais tous les autres droits consentis entre la date de publication de son hypothèque et celle de l'inscription de l'avis demeurent (par exemple un droit de passage sur un terrain ou un droit d'usufruit).

Tout créancier de rang inférieur ou *l'emprunteur lui-même* peut faire valoir certains droits à ce recours exercé par le créancier qui détient une hypothèque de premier rang. Évidemment, cela se produira dans le cas où la valeur du bien serait supérieure au montant de la créance du premier créancier. Dans ce cas, le créancier de rang inférieur, ou l'emprunteur devra publier un avis, acquitter les frais qui ont déjà été engagés et fournir une caution garantissant que la vente qui sera effectuée permettra de rembourser au complet la dette du créancier prioritaire.

4.4 LA VENTE PAR LE CRÉANCIER

La vente par le créancier est un recours qui permet au créancier de vendre de gré à gré, par appel d'offres ou aux enchères le bien hypothéqué. Ce recours peut être exercé uniquement dans le cas de biens appartenant à une entreprise et avec l'autorisation de l'emprunteur ou celle du tribunal. L'avantage principal est que le créancier ne devient aucunement propriétaire du bien au cours de l'exercice et n'est donc pas tenu de fournir une quelconque garantie à l'acheteur subséquent ni ne pourra être tenu responsable d'éventuels vices cachés. L'autre avantage est que, si la vente ne rapporte pas suffisamment, le créancier conserve un recours personnel contre le débiteur ainsi que ses recours contre la caution, le cas échéant.

L'exercice de ce recours ne fait pas disparaître les droits des autres créanciers de rang postérieur qui conservent leur privilège sur le bien. Avant de choisir ce recours ou d'acquérir de tels biens, il est fortement conseillé d'examiner minutieusement les titres, car la valeur marchande dépend beaucoup des privilèges pouvant grever le bien en question.

4.5 LA VENTE SOUS CONTRÔLE DE JUSTICE

La vente sous contrôle de justice nécessite l'intervention du tribunal qui déterminera les charges et les conditions de la vente, soit de gré à gré, soit par appel d'offres, soit aux enchères, et fixera dans ce cas, s'il le juge opportun, une mise à prix.

Le créancier qui s'adresse au tribunal doit proposer un mode de vente, suggérer une tierce personne pour l'effectuer (pas obligatoirement un officier de justice) et fournir une évaluation des biens hypothéqués.

Ce recours a l'avantage de purger les droits réels (hypothèques ou priorités) et les charges grevant le bien hypothéqué, à la condition, bien évidemment, qu'ils ne soient pas inclus dans les conditions de la vente. La valeur marchande des biens augmente ainsi et, mis à part les frais un peu plus élevés, ce recours devient, en vertu de la loi actuelle, celui que devraient privilégier les créanciers. Comme dans le cas de la vente par le créancier et la prise de possession pour administrer, les créanciers conserveront après la vente un recours personnel contre l'emprunteur pour tout solde qui pourrait rester dû.

Le produit de la vente sera distribué aux créanciers inscrits selon l'ordre suivant :

- les frais de justice ;
- les créances prioritaires ;
- les créances hypothécaires ;
- les autres créances.

5. LE CAUTIONNEMENT

Le cautionnement (parfois appelé à tort «endossement») est une garantie donnée par une autre personne (physique ou morale) qui devient responsable, solidairement avec l'emprunteur, de remplir la totalité ou une partie des obligations créées dans un contrat quelconque. Le non-respect des obligations est général et inclut l'omission, le refus ou l'incapacité. L'exemple classique d'un cautionnement est celui où les propriétaires ou encore les principaux actionnaires d'une entreprise garantissent les emprunts contractés par l'entreprise. Cette garantie exigée par plusieurs institutions financières rend les propriétaires responsables des emprunts de l'entreprise, écartant du même coup les principaux avantages de la responsabilité limitée.

Les personnes qui cautionnent ont des droits très limités malgré l'énormité des responsabilités qu'elles acceptent. Ces responsabilités sont consignées dans des clauses ou dans une annexe du contrat négocié d'abord entre un prêteur et un emprunteur. Le document (la lettre de cautionnement) et les clauses créant le cautionnement ont été rédigés par les avocats et les institutions financières et adoptent une formulation qui les avantage énormément, souvent au détriment de la logique la plus élémentaire.

Le nouveau Code civil prévient certains abus en accordant des droits minimaux à ceux qui acceptent de cautionner un emprunteur. Ces droits ne peuvent faire l'objet d'une renonciation à l'avance, même si des documents sont signés à cette fin.

1. Le créancier doit fournir, à la demande de celui qui cautionne, tout renseignement utile et pertinent sur le contenu et les modalités des obligations de même que sur l'état de leur exécution.

2. À partir du moment où celui qui cautionne exécute les obligations de l'emprunteur, il obtient toutes les garanties et les droits que le prêteur pourrait avoir contre l'emprunteur mais sans pour autant devenir automatiquement propriétaire des biens. Ce droit s'appelle la subrogation et permet à celui qui cautionne de prendre la place du créancier d'origine et d'obtenir par le fait même un recours contre l'emprunteur pour lequel il a payé.

3. Le décès met fin automatiquement au cautionnement à l'égard des dettes futures.[3]

Malgré ces quelques protections, les termes des cautionnements consentis en faveur des institutions financières accordent plusieurs droits au prêteur contre celui qui cautionne.

1. Le prêteur peut, à sa discrétion, faire de celui qui a cautionné le débiteur principal même s'il n'a exercé aucun recours contre le véritable emprunteur.

---

3. Cela signifie que les engagements de celui qui cautionne passent à ses héritiers; toutefois, ceux-ci ne sont responsables qu'à l'égard des dettes contractées avant le décès de la caution, peu importe que le créancier ait ou non connaissance du décès. Le *Code civil du Québec* libère ainsi les héritiers de celui qui cautionne des dettes contractées après le décès et permet la résiliation du cautionnement à l'égard des dettes futures ou indéterminées.

2. Même si celui qui cautionne verse à l'institution financière la totalité de la caution, il ne peut exercer aucun recours contre l'emprunteur qui a fait défaut tant et aussi longtemps que l'institution n'aura pas été entièrement remboursée.

3. À la fin d'un cautionnement, par exemple en donnant un avis spécifique à l'institution financière, celui qui a cautionné demeure responsable quand même de toutes les dettes existantes à ce moment là, peut importe la période prévue lors du cautionnement.

Il y a toujours possibilité de s'adresser à la Cour pour se prémunir ou se défendre contre certains abus des institutions financières. En effet, le *Code civil du Québec* fait une distinction entre le contrat qui est librement négocié par les parties, aussi appelé contrat de gré à gré, et le contrat d'adhésion, dont les stipulations essentielles qu'il comporte ont été imposées par une des parties et qui ne peuvent être librement discutées. Il ne fait pas de doute que le cautionnement consenti en faveur de bon nombre d'institutions financières constitue un contrat d'adhésion puisque les modalités essentielles ne sont pas négociables par les clients de ces institutions financières. Dans ce cas, celui qui cautionne est protégé puisqu'une clause illisible ou incompréhensible par une personne raisonnable pourra être annulée par un tribunal s'il semble que l'adhérent en subit un préjudice. Il est important d'ajouter qu'en cas de doute, un contrat d'adhésion est toujours interprété en faveur de l'adhérent.[4]

---

4. Selon un avis émis par Me Marie-Chantal Turcotte.

6. CONCLUSION

Les pages précédentes ne constituent qu'un résumé succinct de nombreux articles du nouveau *Code civil du Québec*. De plus, l'interprétation de ces articles n'est pas toujours évidente et, graduellement, il se constituera une jurisprudence qui en précisera le sens réel. Les éléments fondamentaux sont que toutes les garanties ont été transformées en hypothèques et que le rang des créanciers est déterminé par le moment précis de l'inscription de leur droit. Les seules exceptions sont l'hypothèque ouverte, où le rang est attribué au moment de l'inscription de l'avis de clôture, ainsi que les quelques priorités prévues par la loi, c'est-à-dire les créances prioritaires (article 2651 du Code) et certaines hypothèques légales.

De plus, il est bon de signaler que les procédures concernant la publicité des droits, les mesures préalables à l'exercice de ces droits et les règles de prise en paiement s'appliqueront, avec bien entendu les modifications appropriées, à toutes les formes de crédit, notamment celles concernant le crédit-bail et la vente à tempérament. Par exemple, les droits du locateur et du vendeur à tempérament comme ceux de tout autre créancier doivent être inscrits au registre approprié pour devenir préalables et opposables à tiers. Un autre exemple concerne le vendeur à tempérament qui ne peut plus simplement reprendre possession du bien, le revendre et réclamer le solde dû. Ses recours sont désormais limités à exiger le paiement des versements échus ou l'acquittement au complet du solde non encore payé ou encore à reprendre possession du bien vendu sans autre recours.

Dans le cas des biens meubles, il faut d'abord distinguer si l'acquéreur est une entreprise ou une personne physique qui n'exploite pas une entreprise. Dans ce dernier cas seulement, le vendeur a priorité sur toute hypothèque à l'égard du bien pour tout solde impayé du prix de vente. Dans l'autre cas, celui où il s'agit d'une entreprise, il n'est pas encore prévu que le droit de résolution soit soumis au régime de la publicité des droits et, par conséquent, il n'est pas opposable aux tiers. Ainsi, lorsque le vendeur de biens meubles veut obtenir un droit prioritaire sur les biens qu'il vend à une entreprise, il doit, comme tout créancier, publier une hypothèque.

Le secteur de la construction n'a pas été explicitement traité dans cet ouvrage et nous conseillons de consulter un spécialiste. En effet, plusieurs éléments concernant notamment la notion de privilège ou son équivalent ont été modifiés dans le nouveau Code civil. Les interprétations ne sont pas aisées et, dans plusieurs cas, seule la jurisprudence pourra en préciser le sens véritable.

Les sources de fonds propres

Les fonds propres constituent l'apport des propriétaires ou des actionnaires dans une entreprise et représentent leurs droits sur les actifs et les revenus. La création d'une entreprise nécessite des fonds propres, car ceux-ci constituent les capitaux permanents donnant une existence à l'entreprise. Les fonds propres n'ont pas de rémunération fixe et ne sont garantis d'aucune façon. Les droits rattachés aux actions sont donc résiduels en ce sens qu'ils ne peuvent être exercés qu'après que tous les autres partenaires ont exercé les leurs.

L'entreprise a aussi nécessairement besoin de fonds propres après sa création, car sa croissance, sa vigueur et sa force dépendent de sa base de fonds propres. Plus cette base est solide, meilleure est la santé financière de l'entreprise et moins celle-ci est affectée par les fluctuations économiques et les variations des taux de rendement. Une construction ou un édifice ne peuvent être plus solides que leurs fondations. Les fonds propres sont le coussin dont bénéficient les autres bailleurs de fonds. L'entreprise peut occasionnellement vivre des difficultés causées par des erreurs de gestion ou des conditions économiques défavorables. Lorsque cela se produit, la valeur réelle ou économique des actifs diminue, mais demeurera habituellement au-dessus d'un certain seuil correspondant au montant des dettes. Avant que la valeur ne baisse en bas de ce seuil et que l'entreprise manque à certains de ses engagements, les créanciers auront tendance à réaliser leur garantie afin d'éviter les pertes ou de les réduire le plus possible. Cela entraîne évidemment des coûts de faillite et la disparition de l'entreprise.

Il va de soi que la quantité de fonds propres est différente d'une entreprise à l'autre et est surtout déterminée par le risque de fluctuation de la valeur des actifs. Une entreprise entièrement financée par des fonds propres ne peut pas faire faillite. Cela ne veut pas dire qu'elle ne puisse pas perdre de l'argent, mais bien qu'en cas de perte de valeur ce sont seulement les propriétaires qui pourront perdre.

Toutes les entreprises évoluent dans un monde où, par nature, le futur n'est pas connu, et elles doivent, selon leurs caractéristiques, assumer un risque plus ou moins grand. La fonction première des fonds propres est de supporter ce risque. Le besoin plus ou moins important de fonds propres dépend donc essentiellement du risque opérationnel de l'entreprise, c'est-à-dire de la nature plus ou moins périlleuse de ses activités. Par exemple, les entreprises de fabrication pouvant être touchées par les hauts et les bas des cycles économiques et, ayant des coûts fixes élevés, exigeront beaucoup plus de fonds propres que les entreprises du secteur des services. En général, les entreprises moins affectées par les fluctuations économiques ont proportionnellement beaucoup moins besoin de fonds propres que les entreprises des secteurs des mines ou de la fabrication de biens durables, parce qu'elles sont moins risquées.

Lorsque les bailleurs de fonds consentent des prêts à une entreprise, ce n'est pas dans le but de supporter du risque, et c'est d'ailleurs pour cette raison qu'ils exigent une rémunération fixe et des garanties. Le risque supporté par les fonds propres doit être rémunéré, cela va de soi, et cette rémunération prend principalement la forme d'une participation à la plus-value d'une entreprise.

Le rendement sous forme de dividende représente rarement plus de 25 % de la rémunération totale espérée et, souvent, n'existe tout simplement pas. D'ailleurs, les dividendes ne sont qu'une façon commode pour les propriétaires de réaliser (encaisser) une partie de la valeur de l'entreprise.

Sans injection de nouveaux fonds propres, une entreprise ne peut pas croître et, dans bien des cas, cet apport détermine le rythme de croissance d'une entreprise. En effet, le réinvestissement des bénéfices ne peut combler tous les besoins, et l'entreprise a souvent besoin de nouveaux fonds propres pour financer une partie de l'augmentation de ses actifs. Cela devient évident lorsque l'on accepte que la croissance requiert nécessairement de nouveaux actifs: plus de comptes clients, plus de stocks, plus d'immobilisations et ainsi de suite.

Ce besoin d'actifs nouveaux, comme les actifs d'origine ayant servi à créer l'entreprise, apportent des risques supplémentaires que seuls les fonds propres peuvent absorber. Dans plusieurs secteurs d'activités, particulièrement dans ceux où les augmentations requièrent constamment des actifs importants, il faudrait attendre de 10 à 15 ans et même jusqu'à 20 ans avant qu'une entreprise puisse financer tous ses besoins si elle décidait de le faire en se servant uniquement de fonds autogénérés.

1. LES SOURCES INITIALES DE FONDS PROPRES

L'accès aux différentes sources de fonds propres est avant tout fonction du stade de développement d'une entreprise. Chaque source a ses avantages et ses inconvénients, et le choix de même que l'évaluation doivent être autant basés sur les coûts qu'elle représente que sur les privilèges qu'elle offre.

1.1 LE STADE DE LA CRÉATION DE L'ENTREPRISE

La création d'une entreprise requiert évidemment une mise de fonds des fondateurs eux-mêmes et, bien souvent, de leurs proches. Cette mise de fonds prend habituellement la forme d'argent comptant, d'actifs et de garanties personnelles. Ce capital de départ peut être complété par des mises de fonds des parents et des amis de même que par les professionnels (avocats, notaires, comptables) qui peuvent consentir à investir une partie plus ou moins grande des honoraires qu'ils ont facturés à l'entreprise pour leurs services. Ces bonnes âmes doivent être des gens très patients, prêts à attendre très longtemps pour obtenir une rémunération quelconque. Très peu d'entreprises connaîtront véritablement le succès et pourront rémunérer très bien les fournisseurs du capital initial en devenant des sociétés ouvertes ou du moins, en atteignant un stade où il leur serait possible de le devenir.

Depuis quelque temps, certains organismes acceptent de participer à la création d'entreprises. Leurs activités, faute de moyens, sont cependant assez limitées. Par exemple, quelques clubs d'entrepreneuriat offrent, habituellement à la suite de concours, des bourses d'affaires pour le lancement d'une entreprise. De plus, tel que mentionné, le Fonds de solidarité des travailleurs du Québec (FSTQ) a créé les SOLIDE et les Fonds régionaux. Ces deux organismes peuvent, sous certaines conditions, investir dans une entreprise dès sa création.

1.2 LE STADE SUIVANT LA CRÉATION DE L'ENTREPRISE

Cette étape du développement des entreprises est caractérisée aussi par un taux de mortalité élevé et par le fait qu'il n'existe pas réellement d'organisme ou d'investisseur qui soit à la recherche de ce type de placement. Les fondateurs doivent encore, comme lors de la création de leur entreprise, faire preuve de beaucoup d'imagination et être prêts à bien des sacrifices. Ainsi, plusieurs d'entre eux investiront-ils continuellement une partie de la rémunération à laquelle ils auraient normalement droit et travailleront de longues heures. Les sources qui peuvent quand même être considérées sont les suivantes : les fournisseurs, les clients, les employés, certains programmes gouvernementaux[1] et des investisseurs privés, communément appelés commanditaires ou anges.

Un fournisseur peut voir une excellente occasion de prendre de l'expansion (intégration verticale) et accepter de participer à la capitalisation d'un nouveau client. L'objectif du fournisseur est clair : en devenant en partie propriétaire d'une entreprise, il peut s'assurer une loyauté de sa part. Si jamais l'entreprise connaît réellement du succès, il en sortira doublement gagnant, puisqu'il aura acquis un bon client et réalisé un bon placement.

Les clients de l'entreprise sont motivés par les mêmes objectifs que les fournisseurs lorsqu'ils acceptent de participer au financement à ce stade de développement. Pour eux aussi, il s'agit d'une intégration verticale et ils souhaitent s'assurer un approvisionnement en quantité et en qualité tout en réalisant un bon placement. Les clients, comme les fournisseurs, connaissent

---

1. La bibliographie énumère certaines sources d'information sur les programmes gouvernementaux destinés aux entreprises.

habituellement bien l'industrie et peuvent faire bénéficier l'entreprise de leur expérience et mettre à sa disposition leurs connaissances et leurs contacts.

À mesure que l'entreprise embauchera du personnel, elle pourra les inviter à participer à la propriété. Évidemment, ce geste constitue un excellent moyen d'intéresser des gens qui sont prêts à risquer pour faire un peu plus d'argent tout en s'assurant de leur dévouement et de leur loyauté. Plus tard, on pourra envisager un plan de participation systématique offert à tous les employés.

Avant d'instaurer un plan de participation des employés à l'actionnariat, il faut savoir que tous les employés n'ont pas le même degré de tolérance au risque. De plus, il faut comprendre que l'employé n'est pas diversifié en ce qui concerne son emploi. S'il investit son épargne dans l'entreprise et que cette dernière connaît ensuite des difficultés, il risque de tout perdre, à la fois son emploi et son épargne. Cette situation particulière chez les employés-actionnaires se traduit malheureusement souvent par des divergences d'attitudes pouvant mener à des conflits avec les autres investisseurs.

Les gouvernements, quel que soit le palier, se sont dotés de divers outils de développement économique dont le but est d'aider les entreprises à supporter le risque. Ces programmes d'aide prennent la forme de subventions directes ou de prêts, participatifs ou non, habituellement non garantis. Les fonds ainsi obtenus possèdent les mêmes caractéristiques que les fonds propres et permettent à l'entreprise de continuer à croître et à prendre de l'expansion.

En dernier lieu, il y a les investisseurs privés. Il faut regarder surtout du côté de gens fortunés, habituellement entrepreneurs eux-mêmes, ayant déjà connu du succès et qui ont conservé le goût et le flair pour les bonnes affaires. À leurs yeux, le placement offert présentera une excellente occasion de se diversifier tout en offrant à nouveau la possibilité de participer à la croissance d'une nouvelle entreprise.

Ces commanditaires (ou anges), il ne faut pas s'y méprendre, sont des investisseurs très avertis qui font habituellement preuve de beaucoup de diligence pour choisir leur placement. Une fois leur argent investi, ils exerceront un contrôle suivi des activités de l'entreprise tout en permettant à celle-ci de bénéficier de leur connaissance et de leur expérience.

À noter qu'il s'agit d'investisseurs assez discrets qui n'ont pas pignon sur rue et qui n'annoncent pas publiquement leur intention d'investir. La meilleure façon de les identifier est par l'intermédiaire de certains professionnels avec lesquels ils font affaires : comptables, directeurs de banques, avocats ou notaires. Les montants qu'ils sont disposés à investir dépendent beaucoup de ce que les entrepreneurs ont eux-mêmes investis et peuvent atteindre quelques centaines de milliers de dollars.

1.3 LE STADE DE DÉVELOPPEMENT

À ce stade, l'entreprise a quelque peu fait ses preuves et démontré qu'il existe un bon potentiel pour connaître véritablement le succès. L'idéal est de pouvoir former un petit groupe d'investisseurs désirant participer à la croissance d'une entreprise. La très grande majorité des gens ne sont pas diversifiés sur le plan de l'emploi et, même s'ils gagnent beaucoup d'argent, ils ne disposent pas pour autant d'une sécurité de revenu jusqu'à leur retraite. Après avoir contribué au maximum à leur fonds de retraite, ils pourraient utiliser leurs surplus pour acheter des participations dans des entreprises. Évidemment, ces placements sont très risqués, mais l'espérance de gains est positive et, surtout, il s'agit d'une façon rationnelle d'assurer son indépendance financière ou de se créer une autre possibilité d'emploi.

Dans le contexte de la mondialisation des marchés, il est de plus en plus facile d'attirer des investisseurs étrangers. En effet, beaucoup sont intéressés par l'Amérique du Nord et cherchent des alliances avec des entreprises d'ici. Dans certains cas, il s'agit d'entrepreneurs eux-mêmes qui veulent établir des partenariats avec des entreprises canadiennes. Ces alliances leur procurent des avantages concurrentiels énormes afin d'exporter leurs propres produits. Pour d'autres, il s'agira d'un moyen facilitant l'obtention d'un visa, d'un permis et même de la citoyenneté. Quelques firmes se sont spécialisées dans ce champ d'activités et ont bâti des listes d'investisseurs potentiels. Elles s'occupent d'établir les premiers contacts avec eux et entreprennent habituellement elles-mêmes les démarches initiales.

Les sources de fonds mentionnées lors des deux stades précédents de l'évolution de l'entreprise doivent aussi être considérées. D'autant plus que, maintenant, il est plus facile d'intéresser les entreprises à la recherche d'intégration verticale (entreprise cliente ou fournisseur) et celles qui désirent se diversifier, car la probabilité de réaliser une bonne affaire est meilleure.

1.4 LE STADE DE CROISSANCE

L'entreprise est maintenant prête à prendre de l'expansion, et les besoins de fonds sont beaucoup plus considérables. Les chances de devenir une entreprise rentable pour ses propriétaires sont passées de une sur vingt à une sur cinq ou sur sept, selon les secteurs. Il est temps de faire appel à des spécialistes en financement d'entreprise qui faciliteront l'accès aux sources de capital de risque : sociétés de capital de risque, syndicats de placements privés, sociétés de gestion, groupes d'investisseurs institutionnels, organismes divers comme la Banque de développement du Canada, le Fonds de solidarité des travailleurs du Québec, etc.

L'objectif de ces investisseurs est généralement, surtout en ce qui concerne les investisseurs privés, de pouvoir revendre leurs actions le plus rapidement possible et au prix le plus élevé possible. Ils ne sont pas attirés par des dividendes ou des intérêts mais principalement par la plus-value. Avant tout, ils recherchent la bonne occasion et, pour cela, ils sont prêts à prendre des risques. Ils exigent rarement des garanties et leurs placements sont très peu liquides c'est-à-dire facilement encaissables. Ils s'attendent à doubler leur argent à tous les trois ans, soit réaliser des rendements de 25 à 50 % par année. Ces investisseurs s'intéressent surtout aux entreprises qui présentent de bonnes perspectives de recourir à moyen terme au marché boursier. Ils exigent des conventions d'actionnaires qui prévoient toute une gamme d'options advenant que les objectifs ne soient pas atteints.

Le capital de risque n'est pas un substitut à la mise de fonds des propriétaires car, sauf dans de très rares exceptions, il s'agit de participations minoritaires. Les investisseurs en capital de risque ne recherchent aucunement une participation active à la gestion de l'entreprise et leur premier critère de sélection est la confiance qu'ils peuvent avoir dans l'entrepreneur et son équipe de gestion. Évidemment, en plus de fournir de l'argent, ils peuvent fournir de précieux services à l'entreprise et ils exigeront souvent un poste au conseil d'administration. Il s'agit de gens qui ont habituellement beaucoup d'expérience dans le secteur industriel de l'entreprise et qui ont beaucoup de contacts (clients, fournisseurs potentiels, institutions financières et acquisitions tant à l'échelle nationale qu'internationale).

Les entreprises recherchées ont atteint la phase d'expansion et leurs ventes se situent déjà entre 5 et 20 millions de dollars. L'ordre de grandeur des financements effectués se situe entre 1 et 5 millions de dollars. Le critère principal, comme nous l'avons déjà mentionné, est la confiance envers l'équipe de gestion : sa compétence, son honnêteté et son engagement dans l'entreprise. Les autres critères comprennent évidemment la qualité du produit ou du service offert, sa position concurrentielle sur le marché et la qualité du plan d'affaires soumis.

Une importante étude sur le capital de risque vient tout juste d'être réalisée par des professeurs de l'Université de la Colombie-Britannique (Raphael Amit, James Brander et Christoph Zott). Récemment, le Globe and Mail reprenait les principales conclusions de cette étude non encore publiée :

- La province de Québec, avec le quart de la population canadienne et 23 % de la production des biens et des services, attire 42 % des projets financés par les sociétés de capital de risque. L'Ontario, avec 38 % de la population, 40 % de la production des biens et services, attire seulement 22 % des projets. Cette conclusion fait dire aux chercheurs que l'Ontario est le royaume de la grande entreprise et le Québec, le paradis de la petite et moyenne entreprise.

- Le secteur privilégié par les sociétés de capital de risque est sans conteste celui de la haute technologie.

- Moins de 3 % des investissements sont faits dans des entreprises au stade de développement ou de la création. Les sociétés de capital de risque concentrent donc leurs activités dans des entreprises en croissance aptes à réaliser des projets d'expansion. Plus du tiers des projets touchent des entreprises qui ont plus de dix ans d'existence.

- Environ 18 % des investissements donnent lieu à une perte totale (certaines études avancent 20 %) et 16 % connaissent un véritable succès (d'autres études avancent 20 %) et donnent lieu par la suite à une offre publique de titres. Ainsi, dans plus ou moins 60 % des cas, les sociétés de capital de risque récupèrent leur mise de fonds et elles font réellement de l'argent une fois sur cinq.

- Près de 40 % des participations des investisseurs en capital de risque sont rachetées par les gestionnaires de l'entreprise.

- La durée moyenne des investissements est d'environ six ans et dépasse très rarement huit ans.

- Les analystes prennent de un à six mois pour mener un projet à bonne fin, et ils effectuent de cinq à dix évaluations en même temps. La plupart des demandes sont vite rejetées et une demande sur vingt sera acceptée.

Le capital de risque, du moins celui fourni par les sociétés de capital de risque, est surtout pour les entreprises quelque peu exceptionnelles qui ont besoin d'argent dans le cadre de projets précis et réellement prometteurs. Même si uniquement 5 % des demandes se concrétisent, les analystes de projets affirment plutôt que ce n'est pas les fonds qui manquent, surtout pas au Québec, mais les bons projets, bien présentés, et des gestionnaires compétents. Autrement dit, l'argent est là, et il ne manque que les entrepreneurs.

L'investisseur en capital de risque ne connaît le succès que si, dans un horizon maximum de huit ans, il parvient à vendre sa participation. Cette vente sera rendue possible si l'entreprise procède à une première émission publique de titres ou est achetée par une autre entreprise ou alors, si elle dispose de liquidités suffisantes pour racheter elle-même sa participation. Dans tous les autres cas, il est perdant : soit que l'entreprise fasse faillite, soit qu'elle végète sans pour autant réussir à dégager un bénéfice intéressant, c'est-à-dire faire véritablement de l'argent.

1.5 CONCLUSION

Le capital de risque n'est pas une question de définition. Certains diront que l'achat des actions de Bell Canada constitue un investissement en capital de risque et d'autres, au contraire, considéreront comme capital de risque uniquement la mise initiale de fonds des propriétaires lors de la création d'une entreprise. Notre objectif ne se situait pas au chapitre des définitions : nous voulions plutôt présenter les sources de fonds propres disponibles jusqu'au moment où l'entreprise décide de faire un premier appel public à l'épargne. Dans cette optique, les fonds propres peuvent provenir d'une multitude de sources et prendre les formes les plus diverses. Il s'agit de créer une base de capitalisation pour une entreprise afin de lui permettre de croître. L'entrepreneur qui travaille un certain temps sans salaire ou à un salaire moindre contribue à capitaliser son entreprise. Lorsqu'une entreprise accepte d'accorder des redevances ou une participation à ses bénéfices en échange d'immobilisations (équipements ou autres), elle obtient aussi des fonds propres. Émettre des actions privilégiées à un taux de dividende bas et accorder en même temps le droit d'obtenir une réduction sur le prix de détail suggéré est une autre façon de capitaliser son entreprise. Dans le même ordre d'idée, les garanties consenties par les propriétaires ou par une autre partie, de même que celles accordées par les gouvernements pour permettre à l'entreprise d'obtenir un emprunt, constituent autant d'autres moyens de capitaliser son entreprise. Dans ce domaine, les moyens sont multiples et, souvent, le secret est de faire preuve d'imagination. Obtenir du capital de risque ne se compare pas à l'obtention d'emprunts, car les offres et les prix ne sont pas affichés dans les vitrines des institutions financières.

Les entrepreneurs éprouvent souvent d'énormes réticences à entreprendre une recherche sérieuse de fonds propres. Pourtant, ils comprennent que, sans un apport important de capital de risque externe, ils ne pourront prendre de l'expansion et seront dépassés par la concurrence. Ils hésitent à partager leur participation dans l'entreprise, à diluer leur degré de contrôle et surtout à restreindre leur indépendance. Plusieurs devraient pourtant se rendre compte qu'il est souvent préférable d'avoir un partenaire possédant 30 ou 40 % du capital-actions qu'un créancier qui a droit de vie ou de mort sur l'entreprise. Beaucoup croient à des histoires d'anges colportées par des rêveurs qui comprennent très peu les fondements de la répartition des ressources dans un système capitaliste. Des entreprises ou des gens fortunés qui font la charité en donnant leur argent et en exigeant rien en retour n'existent pas. Rares sont ceux qui n'évaluent pas leur placement du point de vue financier. Les principes de base du risque et du rendement s'appliquent en tout temps et ils doivent même prévaloir. Les cadeaux n'existent pas.

2. LE PREMIER APPEL PUBLIC À L'ÉPARGNE

La première émission publique de titres, en général des actions ordinaires, consiste à vendre une partie de son entreprise au public investisseur. Ainsi, d'autres investisseurs deviendront des associés de l'entreprise au même titre que les fondateurs, et leur objectif sera de réaliser le meilleur rendement possible compte tenu du risque, c'est-à-dire faire de l'argent sur le placement qu'ils ont l'intention d'effectuer. La raison fondamentale de procéder à une émission d'actions devrait être de se procurer des fonds pour investir, prendre de l'expansion et aider à mieux capitaliser son entreprise. Un premier appel public à l'épargne ne devrait pas être une façon pour les propriétaires d'encaisser à court terme eux-mêmes de l'argent ou constituer une façon déguisée de vendre l'entreprise.

La décision d'émettre des actions dans le public a des conséquences majeures et durables sur les comportements des actionnaires et des dirigeants. De plus les méthodes de gestion de l'entreprise seront grandement touchées, notamment en matière de divulgation de l'information. Il faut se rappeler qu'il s'agit d'une des décisions stratégiques les plus importantes des entrepreneurs, permettant de concrétiser leurs succès.

Avant de procéder à une première émission publique de titres, une entreprise risque de devoir effectuer certaines réorganisations de sa structure juridique et administrative : restructuration de son capital, modification de ses statuts et de ses règlements, exclusion de certaines activités non reliées à l'entente, résiliation ou modification des conventions d'actionnaires, création ou modification de régimes de participation des employés, modification de la composition du conseil d'administration dans le but principal d'aller chercher des gens à l'extérieur de l'entreprise, création d'un comité de vérification et ainsi de suite. De nombreuses considérations juridiques sont aussi présentes tout au long du processus et l'entreprise doit nécessairement compter sur un conseiller juridique compétent et expérimenté.

2.1 LE CHOIX ET LE RÔLE DU SOUSCRIPTEUR

Le souscripteur, courtier en valeurs mobilières, est le principal intervenant auprès de l'entreprise ayant l'intention de procéder à une première émission publique de titres. Son rôle ne se limite pas à souscrire à l'offre de titres et se charger, à la fin de la démarche, de la vente des titres dans le public. Tout au long du processus, il agira comme conseiller pour tous les aspects du financement prévu. Le souscripteur agira aussi comme le général de toute une équipe de travail et de cueillette d'informations qui comprend, en plus des cadres supérieurs de l'entreprise désirant procéder à l'émission, le vérificateur des états financiers, le conseiller juridique, le fiscaliste, les membres du conseil d'administration, le registraire, l'agent des transferts de titres et l'imprimeur des divers documents.

Le choix d'un souscripteur ne se fait pas en sélectionnant le plus offrant mais bien selon celui qui est mesure d'offrir le meilleur service et surtout qui a les capacités de respecter ses promesses. L'objectif de l'émetteur est d'obtenir le plus juste prix pour les titres et de bénéficier des avantages de devenir une société ouverte. Une offre de titres aura du succès si elle est bien acceptée dans le public et s'il se crée, à la suite à l'émission, un marché actif. Sans la création d'un marché secondaire actif, l'entreprise n'obtient pas le principal avantage, soit celui de créer une liquidité et une évaluation juste pour ses titres. Les critères de choix sont nombreux et nous ne mentionnerons que les plus importants.

- *La compétence de l'équipe au chapitre de l'expérience, des qualifications professionnelles prouvées, de l'honnêteté et de la confiance :* le titre CFA (Chartered Financial Analyst) est sans doute le meilleur indicateur de la compétence et de l'honnêteté des gens avec qui l'entreprise fait affaire en matière d'émission de titres. Les détenteurs du titre CFA doivent en effet répondre à des exigences rigoureuses sur le plan des connaissances et de l'éthique professionnelle. Il s'agit de l'équivalent, dans le domaine de la finance, des titres professionnels en comptabilité.

- *La réputation de la firme, tant à l'intérieur de sa propre industrie que sur les marchés financiers au Canada et à l'étranger :* cette réputation doit exister autant à l'égard de l'analyse financière que du groupe de recherche et du groupe institutionnel. Cela permet à la fois d'établir un juste prix pour le titre et d'obtenir une bonne couverture afin de susciter l'intérêt sur le marché secondaire.

- *La personnalisation des services comprenant les éléments de spécialisation et les facteurs relatifs à l'impôt :* chaque entreprise se trouvant dans une situation particulière (par exemple, une émission envisagée par une société minière) et ayant des besoins spécifiques, le souscripteur doit faire preuve d'imagination et ne pas limiter l'entreprise à un emballage normalisé.

- *La concordance entre les caractéristiques du souscripteur et les besoins de l'émetteur :* par exemple, une entreprise désirant se financer exclusivement sur le marché canadien pour les cinq prochaines années n'a aucunement besoin de recourir à un courtier d'envergure internationale.

- *La capacité de distribution, à la lumière du nombre de points de vente et de l'envergure des vendeurs :* cette avantage est essentiel pour assurer une grande répartition des titres dans le public. Même si, dans le cas d'émissions importantes, le souscripteur principal peut facilement s'adjoindre d'autres firmes pour la distribution, il n'en demeure pas moins que sa propre force de vente devra assumer le leadership.

Le souscripteur conseille d'abord l'entreprise sur le montant total de l'émission ainsi que sur les caractéristiques essentielles des titres émis. Le prix définitif des titres ne sera fixé que beaucoup plus tard après que l'émission aura été élaborée, que tous les documents auront été préparés et déposés, et après que l'émission aura été présentée à un nombre important de responsables de la distribution dans le public. L'objectif est d'intéresser la plus grande variété d'investisseurs afin de créer un marché secondaire actif. Ces responsables de la distribution feront part de leur intention au souscripteur qui, en retour, leur réservera des titres. Ainsi, dans la plupart des cas, les titres sont vendus dès la fin du processus.

Au moment où le choix du souscripteur doit se faire, le prix d'émission n'est pas établi définitivement, et il s'écoulera de trois à quatre mois avant que cela soit fait. L'entreprise se retrouve un peu dans la même situation que le propriétaire qui confie sa maison à un agent immobilier : il ne connaîtra réellement le montant qu'il encaissera qu'au moment où la vente sera concrétisée, c'est-à-dire après la mise en marché. Plusieurs raisons peuvent être invoquées pour justifier cette pratique, mais la principale est que le rôle du souscripteur consiste à agir comme intermédiaire entre l'entreprise et les investisseurs et qu'à ce titre, il n'a pas à supporter les risques. Les conditions des marchés financiers fluctuent au jour le jour, et la situation de l'entreprise évolue aussi constamment. Au début, le souscripteur donnera une estimation du prix, habituellement basée sur un multiplicateur des bénéfices, mais il faut se rappeler que c'est le marché qui détermine le prix et non pas le souscripteur ou l'entreprise. Ce prix offert ne peut donc devenir un facteur décisif dans le choix d'un souscripteur plutôt qu'un autre. Dans tous les cas, le prix offert pour une action doit être la meilleure estimation de la valeur réelle nette attribuée à une entreprise par les investisseurs. Que ce soit lors de l'émission ou sur le marché secondaire, le prix de l'action représente la valeur nette attribuée à l'entreprise (sa valeur totale moins la valeur de ses dettes) divisée par le nombre d'actions en circulation.

Les honoraires exigés par les courtiers pour une première émission (disons de 10 à 20 millions de dollars) sont de l'ordre de 6 à 7 %. S'y ajoutent les frais juridiques et comptables, les frais d'inscription et les frais divers qui peuvent représenter de 3 à 5 %. Au total, les frais pour un premier appel public à l'épargne atteignent facilement 10 %, mais ne dépassent habituellement pas 12 % du montant de l'émission.

2.2 LE RÔLE DE LA COMMISSION DES VALEURS MOBILIÈRES DU QUÉBEC

La Commission des valeurs mobilières du Québec (CVMQ) est l'organisme de surveillance de tout le commerce des valeurs mobilières au Québec. Elle a pour but d'assurer le fonctionnement harmonieux des marchés financiers, la protection des épargnants et la plus grande efficacité possible du marché permettant de favoriser le meilleur développement économique. Elle encadre les courtiers en valeurs mobilières et leurs représentants, les conseillers en placements, le marché des titres, autant à la bourse que hors-bourse, et évidemment les émetteurs qui font des appels publics à l'épargne.

Lorsqu'une entreprise veut faire un appel public à l'épargne, elle doit en demander l'autorisation à la Commission des valeurs mobilières. Celle-ci s'assurera que toutes les informations nécessaires seront fournies aux éventuels acheteurs de titres. À cette fin, elle exigera que l'émetteur éventuel produise et dépose un prospectus. Il s'agit d'un document important qui présente toutes les informations dont l'acheteur éventuel des titres aura besoin pour évaluer le risque et le rendement espéré. Le rôle de la Commission est de viser le prospectus, c'est-à-dire de s'assurer que les exigences d'information ont été remplies. Il ne s'agit aucunement d'une recommandation ni d'une approbation mais simplement d'une indication que l'information présentée est complète et que les investisseurs ont été protégés, du moins en ce qui concerne les exigences relatives au contenu informationnel. L'authenticité et l'exactitude des informations fournies n'est pas du ressort de la Commission.

La *Loi sur les valeurs mobilières* exige que les entreprises informent les investisseurs lorsqu'elles émettent des titres et qu'elles continuent à les informer par la suite. Ainsi, en faisant en sorte que l'information soit à la disposition de tous en même temps, la Commission contribue à augmenter l'efficacité du marché, condition essentielle au maintien d'un climat de confiance, et à faire en sorte que tous les investisseurs soient traités sur un pied d'égalité.

Une entreprise qui a procédé à un premier appel public à l'épargne doit transmettre son rapport annuel dans les 140 jours suivant la fin de son exercice financier et, sauf exception, elle doit transmettre ses états financiers trimestriels dans les 60 jours après la fin de chacun des trois premiers trimestres. Elle doit aussi convoquer à son assemblée annuelle tous ses actionnaires et leur faire parvenir un formulaire de procuration. De plus, lorsque se produit un événement susceptible d'influer sur le prix de ses titres, elle doit en aviser le public par voie de communiqué et en déposer une copie auprès de la Commission.

Tout dirigeant d'une entreprise ayant procédé à une émission publique ou toute personne détenant plus de 10 % des actions ordinaires est considéré comme un *initié*. Ces gens peuvent avoir accès, soit par leurs fonctions soit par le degré de contrôle qu'ils exercent, à des informations privilégiées. Il leur est cependant formellement interdit de les utiliser pour en tirer profit ou de les transmettre à d'autres. Par exemple, un dirigeant qui apprend les fruits d'une recherche importante ou les résultats d'exploration minière ne peut négocier les titres de sa société avant que la nouvelle ne soit rendue publique. S'il outrepasse cette directive, il risque d'être poursuivi par tout actionnaire lésé ou bien par la Commission, qui pourrait lui réclamer des dommages-intérêts. Afin de s'assurer qu'il y ait le moins de contrevenants possible, la Commission oblige les initiés à déclarer toutes leurs transactions sur les titres émis par l'entreprise. Les transactions d'initiés sont régulièrement publiées dans les journaux et sont conservées dans les dossiers de la Commission pour consultation.

2.3 LE PROSPECTUS

Le prospectus est un document d'information permettant de décrire correctement une entreprise et ses principales activités, d'évaluer sa situation financière, de connaître ses projets et de savoir ce qu'elle compte faire avec l'argent qu'elle espère recueillir. Le prospectus constitue donc un exposé complet, véridique et clair. Il ne doit pas contenir de fausse déclaration et devrait inclure toutes les informations influant sur le prix des titres. Les dirigeants de l'entreprise qui ont signé le prospectus sont personnellement responsables envers les acquéreurs de titres des dommages découlant de toute omission de déclarer un fait important ou résultant d'une fausse déclaration. Le courtier est protégé par l'exigence d'une vérification diligente et ne peut être tenu responsable.

L'objectif est de permettre à chaque investisseur d'évaluer correctement la valeur d'un titre même s'il n'a pas accès directement aux livres et aux systèmes d'information de l'entreprise. La

Loi sur les valeurs mobilières exige qu'un prospectus soit remis à tous les investisseurs intéressés à une nouvelle offre de titres et accorde un délai de deux jours après la réception du prospectus pour annuler un achat.

Lors d'une émission publique de titres, le souscripteur et l'entreprise vont d'abord produire un prospectus provisoire (le mot *provisoire* est imprimé en rouge sur la page titre). Les renseignements contenus dans le prospectus pourront être modifiés et complétés par la suite, compte tenu des remarques et exigences de la Commission des valeurs mobilières. Ce document, tant que le prospectus définitif n'est pas disponible, servira principalement à tester le marché, c'est-à-dire vérifier l'intérêt des investisseurs pour l'offre des titres sur la plan de la quantité et du prix.

Aussi longtemps que le prospectus n'a pas été examiné par la Commission et n'a pas obtenu son visa, il demeure provisoire. Les investisseurs ne peuvent s'engager à acheter les nouveaux titres qu'après avoir reçu le prospectus définitif et ils peuvent exiger de recevoir le prospectus définitif avant de s'engager formellement à acheter les nouveaux titres. Dans ce cas, ils ont un délai de deux jours, tel que mentionné, pour renoncer à acquérir les titres.

Le prospectus définitif indiquera le prix et le nombre de titres à émettre. Ces informations sont présentées sous forme de tableau qui présente le calcul du produit net du placement, soit le produit global de l'émission moins la rémunération versée aux courtiers.

Un prospectus demeure quand même un document assez complexe, surtout pour les non-initiés. Comprenant habituellement de 25 à 50 pages, il doit répondre aux exigences des diverses lois et fournir des informations permettant aux investisseurs de bien comprendre le placement offert et surtout d'en évaluer les risques. Les sections les plus importantes d'un prospectus, en plus de la page titre et du sommaire, sont les informations qui décrivent l'entreprise et ses activités, les informations permettant d'évaluer la position financière, l'emploi du produit de l'émission et enfin celles qui décrivent les titres proposés. Toutes ces informations sont regroupées par rubrique dont l'ordre et l'importance varient d'un prospectus à l'autre.

- *Nom, adresse, lieu de constitution et description sommaire de la société émettrice.*

- *Description des activités et des affaires de la société :* position concurrentielle dans l'industrie, marché pour les produits et services, contrats importants, ressources humaines, recherche et développement, principales stratégies et style de gestion.

- *Discussion, analyse des résultats d'exploitation et commentaires de la direction sur la performance et l'évolution de l'entreprise.*

- *La structure de capital de l'entreprise :* description des capitaux propres et des dettes, politique de dividendes, principaux actionnaires et régime d'options d'achat d'actions.

- *Les données sur les administrateurs et dirigeants de l'entreprise :* identification de ceux-ci, leur rémunération, leur expérience, les prêts qui leur ont été consentis.

- *Les caractéristiques des titres :* les modes de placement, l'admissibilité au régime d'épargne-actions du Québec, le potentiel de dilution, les facteurs de risque, la souscription par les principaux actionnaires et les actions bloquées (lors d'une première émission, les principaux actionnaires sont tenus de déposer leurs actions afin d'assurer aux nouveaux investisseurs qu'ils ne profiteront pas du placement offert pour se défaire de leurs titres contre l'intérêt de l'entreprise).

- *Une description des principaux facteurs de risque :* risque relié aux activités de l'entreprise, risque entourant la gestion, risque fiscal, risque environnemental et autres.

- *Les états financiers vérifiés et souvent les prévisions financières établies selon les normes de l'ICCA :* les états financiers doivent remonter à moins de 120 jours avant la date du prospectus provisoire.

- *Le rapport du vérificateur et les différentes attestations :* attestation de l'émetteur, attestation des promoteurs, attestation des preneurs fermes.

Il faut se rappeler que le prospectus vise à fournir aux investisseurs toutes les informations dont ils ont besoin pour prendre une décision éclairée. La plupart des investisseurs n'ont pas les moyens ni le temps de mener une enquête indépendante et de constituer un dossier avant d'acheter et doivent en conséquence se fier aux informations contenues dans le prospectus. Ainsi la *Loi sur les valeurs mobilières* et son organisme d'application, la Commission des valeurs mobilières du Québec, accordent une grande importance à la qualité des informations produites en donnant à l'investisseur le droit de poursuivre l'entreprise et ses dirigeants dans le cas où il aurait été lésé en souscrivant à des titres, à cause d'informations fausses ou trompeuses contenues dans un prospectus. La Commission n'a pas pour autant le rôle de se prononcer sur la qualité du prospectus et ne peut habituellement pas refuser à une entreprise le droit de procéder à une émission.

Après un premier appel public à l'épargne, il est possible pour l'entreprise d'alléger la procédure entourant le prospectus à l'égard d'une émission ultérieure. Pour ce faire, elle peut constituer à l'avance un dossier contenant toutes les informations requises et le déposer auprès de la Commission. Au moment où elle décidera de faire un appel public à l'épargne, elle n'aura alors besoin que de produire un prospectus simplifié, car la Commission possédera déjà l'essentiel des informations. Cette démarche permettra de sauver du temps et de l'argent, car le prospectus simplifié étant beaucoup moins volumineux, il sera étudié plus rapidement. L'investisseur intéressé à acquérir les titres de l'entreprise a accès, sur demande, autant au prospectus qu'au dossier d'information.

2.4 L'INSCRIPTION À LA COTE

L'entreprise qui désire que ses titres soient inscrits à la bourse doit en faire la demande. La bourse, organisme indépendant, a l'entière discrétion d'accepter ou de refuser cette demande. Les normes d'admissibilité à la cote varient d'une bourse à l'autre, mais l'objectif est le même, soit de conserver la confiance des investisseurs. Par exemple, les normes d'inscription à la Bourse de Montréal dépendent du type d'entreprise (les entreprises industrielles, financières et immobilières, les entreprises d'exploration minière et celles d'exploration pétrolière et gazière) et ces normes sont basées sur différents facteurs comme la répartition des titres dans le public, la situation financière de l'entreprise, son stade de développement et ses perspectives d'avenir.

La durée du processus menant à l'inscription varie d'une bourse à l'autre et d'une société à une autre. Habituellement, la demande d'inscription se fera entre le dépôt du prospectus provisoire et le prospectus définitif. Cette demande comprend simplement quatre copies du prospectus provisoire et une lettre demandant l'inscription. La bourse pourra alors accorder une approbation conditionnelle ou anticipée sous réserve notamment de la diffusion des titres auprès d'un nombre minimum de porteurs publics. L'entreprise pourra faire mention dans son prospectus de cette approbation conditionnelle. Par la suite, l'entreprise devra compléter sa demande d'inscription et démontrer qu'elle a satisfait à toutes les exigences de la bourse. Il y aura alors la signature d'une convention d'inscription par laquelle l'entreprise s'engage à respecter les divers règlements de la bourse et à payer les frais exigés.

Les principaux avantages pour une entreprise d'avoir ses actions inscrites à la cote comprennent une plus grande visibilité, une plus grande facilité d'accès aux sources de capitaux externes et une évaluation plus juste de ses titres. Évidemment, ces avantages sont directement reliés au succès que connaîtra l'émission sur le marché secondaire, c'est-à-dire la bourse. Pour que l'obtention de capitaux supplémentaires soit facilitée par la suite et que l'entreprise acquière une plus grande flexibilité financière, il faut évidemment que se crée un marché pour ses titres, qu'il s'agisse d'actions ordinaires, de titres convertibles ou même de titres de dette. L'existence de ce marché permettra aussi de régler divers problèmes reliés à l'évaluation, par exemple dans le cas d'une succession ou de l'instauration d'un régime de participation des employés et du personnel cadre au capital-actions et aux bénéfices. Une entreprise cotée en bourse et dont les titres se négocient améliore son image auprès des clients et des fournisseurs et gagne beaucoup de crédibilité auprès des divers bailleurs de fonds.

Évidemment, il y a aussi des désavantages. Ceux-ci sont surtout reliés au fait que l'entreprise devra désormais divulguer beaucoup plus d'informations. Un principe fondamental de la bourse régit la divulgation de l'information : tous les investisseurs doivent avoir accès en tout temps à toute l'information susceptible d'influer sur leurs décisions de placement, c'est-à-dire celle qui peut faire varier la valeur des titres inscrits à la cote. À titre d'exemple, mentionnons l'emprunt d'une somme importante, un changement important au sein de l'équipe de gestion, la conclusion ou la perte d'un contrat important, des procédures judiciaires, un conflit de travail, etc. L'entreprise sera tenue à beaucoup plus de formalisme et devra signifier au public tous les faits importants qui pourraient toucher sa valeur.

Les coûts de l'inscription à la cote et les conséquences pour l'entreprise de devenir une société ouverte doivent aussi être considérés. Il y a évidemment les frais d'inscription, entre 7 500 $ et 25 000 $, selon le nombre d'actions émises, et les frais annuels de maintien de l'inscription, de l'ordre de 3 500 $ à 13 000 $. Dans le cas d'une société qui devient ouverte, s'ajoutent les coûts de production de l'information et ce, même si elle n'est pas cotée en bourse. Ces coûts comprennent entre autres ceux de la production de rapports trimestriels, de rapports annuels plus complets et de la notice annuelle déposée auprès de la Commission des valeurs mobilières. À ces coûts directs s'ajoutent les coûts indirects reliés au temps consacré par les dirigeants pour répondre aux actionnaires, aux analystes financiers et aux membres externes du conseil d'administration.

Les dirigeants d'une société ouverte perdent beaucoup sur le plan de la confidentialité et subissent énormément de pression. Ils doivent constamment rendre compte non seulement des résultats de leur entreprise mais aussi de leurs faits et gestes : rémunération, transactions et avantages divers. Souvent, ils auront l'impression de gérer par trimestre, en ne considérant que la publication du prochain bénéfice par action.

2.5 LES AVANTAGES FISCAUX[2]

Les autorités fédérales et provinciales ont instauré divers programmes accordant des avantages fiscaux aux acquéreurs de titres nouvellement émis. Évidemment, les émetteurs des titres y trouvent leur compte puisqu'ils vendent ainsi à un prix plus élevé que celui auquel ils auraient pu vendre sans l'incitatif fiscal. Les deux programmes les plus populaires sont le régime d'épargne-actions du Québec et les actions accréditives.

Le régime d'épargne-actions du Québec

Le programme d'épargne-actions du Québec est disponible pour les entreprises dont l'actif est supérieur à 2 millions de dollars

---

2. Comme les avantages fiscaux peuvent être modifiés selon l'humeur des politiciens, le texte qui suit n'a que pour but d'indiquer certains avantages qui sont offerts au moment de la publication. Chacun comprendra qu'il existera toujours des avantages fiscaux en matière de financement mais que les modalités peuvent changer.

mais inférieur à 250 millions. Pour être admissibles à ce programme, les titres émis par l'entreprise doivent être cotés à la Bourse de Montréal.

La déduction maximale permise est de 100 % du montant total investi au niveau provincial seulement et une déduction additionnelle de 25 %, (donc 125 % en tout) est accordée pour une action souscrite par un employé de la société émettrice, à la condition que ce soit dans le cadre d'un régime d'achat d'actions. Aucun avantage n'est accordé par le gouvernement fédéral. Pour chaque investisseur, la contribution maximale au REA est fixée à un maximum de 10 % de son revenu total. Les sommes consacrées à l'achat doivent être maintenues dans le portefeuille jusqu'à la fin des deux années après celle de l'acquisition.

Les actions accréditives[3]

Les actions accréditives sont des actions ordinaires émises par une société d'exploration pétrolière, minière ou gazière, une fois le programme d'exploration terminé, en échange des montants dépensés en frais d'exploration canadiens (FEC). Ces frais d'exploration admissibles engagés (FEC) sont déductibles à 100 % par l'investisseur et cela, tant au niveau provincial que fédéral. Si les frais sont engagés au Québec, une déduction additionnelle de 25 % est accordée et une déduction supplémentaire de 50 % peut aussi être obtenue dans le cas d'activités d'exploration minière de surface.

---

3. Les informations sont celles qui prévalaient au début de l'année 1998.

Prenons un taux d'imposition de 26 % au fédéral et de 24 % au provincial et un montant de 1 000 $ en actions accréditives. La déduction maximum pourrait être de 100 % au niveau fédéral et de 175 % au niveau provincial.

Déductions pour FEC	
Fédéral	1 000 $
Provincial	1 750 $
Économies estimatives d'impôts	
Fédéral (1 000 x 0,26)	260 $
Provincial (1 750 x 0,24)	420 $
	680 $
Coût après impôts (1 000 - 680)	320 $

2.6 CONCLUSION

La majorité des entrepreneurs deviennent réticents quand il s'agit de partager avec d'autres la propriété de ce qu'ils ont construit : l'émission de fonds propres permet à des étrangers de s'immiscer dans leurs affaires, leur fait perdre une partie du contrôle et, surtout, risque de porter atteinte à leur indépendance. Il s'agit pourtant du seul véritable moyen d'accéder à une plus grande flexibilité financière et souvent de réaliser les objectifs visés ainsi que de croître dans une économie mondiale.

Les fonds propres constituent le type de financement le plus difficile à obtenir, car les actionnaires minotaires se voient accorder très peu de droits ou de privilèges. Ils n'obtiennent aucun recours direct à l'encontre des actifs de l'entreprise et ils ne bénéficient d'aucune protection. Pour cette raison, la majorité des nouveaux actionnaires d'une société privée exigeront une convention d'actionnaires. Ce document établit les règles encadrant leur engagement financier, les obligations qui devront être respectées et les conséquences en cas de défaut.

Les fonds propres permettent à l'entreprise d'avoir accès aux autres sources de financement et d'atteindre ainsi son plein potentiel de croissance. Sans un coussin pour absorber les mauvais passages, aucun créancier n'acceptera de prêter à l'entreprise. En effet, les créanciers exigent une protection contre les fluctuations des revenus et des bénéfices de l'emprunteur. Une entreprise ne peut pas toujours aller bien, et les fonds propres absorbent le coup quand ça va mal et récoltent lorsque le vent tourne.

Les motifs justifiant de recourir aux fonds propres sont évidents : les fonds propres ne requièrent aucun remboursement de capital, n'entraînent aucune charge fixe (il n'y a pas de véritable obligation légale de payer des dividendes) et permettent à l'entreprise d'améliorer sa santé financière. Or, une bonne santé financière est essentielle autant pour obtenir du financement par dette que pour traverser des périodes difficiles. Les fournisseurs de fonds propres doivent évidemment être rémunérés pour le risque qu'ils supportent et le partage de la propriété est un inconvénient que'entrepreneur doit accepter.

Les bailleurs de fonds propres intéressés à investir dans les PME ont les mêmes exigences fondamentales, qu'il s'agisse de particuliers fortunés, de sociétés spécialisées ou, à l'occasion, d'institutions financières. Nous croyons pertinent de rappeler les principales exigences :

- des chances raisonnables d'obtenir un taux de rendement qui permet de doubler leur mise de fonds à tous les 2 à 5 ans ;

- l'engagement des entrepreneurs à fournir à intervalles réguliers des rapports financiers complets qui permettent d'exercer un contrôle suivi des affaires de l'entreprise ;

- un niveau de participation suffisant qui permet d'être partie prenante aux décisions importantes.

Le plan d'affaires

Un plan d'affaires est à maints égards le document le plus important que les dirigeants d'une entreprise aient à produire. Il s'agit d'un document écrit qui présente et explique l'origine d'une entreprise, ce qu'elle est devenue et ce qu'elle sera plus tard. Tous les intervenants auprès des entreprises ont besoin d'information pour prendre leur décision, et le plan d'affaires constitue une référence essentielle. Les avantages et utilisations d'un plan d'affaires ne s'arrêtent pas là, car il s'agit avant tout d'un important outil de gestion utilisé à des fins de planification et de contrôle.

L'élaboration d'un plan d'affaires repose sur plusieurs documents et renseignements qu'il faut d'abord réunir et ensuite synthétiser. Évidemment, les exigences précises et les besoins d'information des différents utilisateurs sont difficiles à prévoir et la structure du plan doit demeurer souple.

Le banquier qui analyse un plan d'affaires en vue de consentir un prêt à terme s'attardera surtout à la valeur de réalisation des actifs, à d'éventuels problèmes de manque à gagner et à la capacité de l'entreprise de survivre dans des conditions difficiles.

Pour sa part, l'investisseur intéressé à réaliser un placement sous forme de capital de risque portera plus son attention sur les facteurs de croissance, le potentiel d'augmentation de la part de marché et la rentabilité. Tous les deux seront cependant intéressés par la stratégie d'ensemble de l'entreprise, les principaux facteurs de sa réussite et la qualité de sa gestion.

Quelle que soit l'optique particulière de celui qui analyse un plan d'affaires, l'objectif visé est de mieux connaître l'entreprise afin de pouvoir porter un meilleur jugement sur le potentiel de l'organisation et les qualités administratives des dirigeants. Le plan d'affaires présente l'entreprise et ses gestionnaires. Le fait de ne pas pouvoir fournir un plan d'affaires ou un plan qui ne comprend pas certains éléments jugés nécessaires traduit souvent plusieurs lacunes administratives : absence de planification ou planification déficiente, système de contrôle inadéquat, mauvaise organisation du temps et ainsi de suite.

La préparation d'un plan d'affaires n'est pas une activité complexe et les dirigeants peuvent se faire aider par des spécialistes, mais ils doivent en demeurer les maîtres d'oeuvre. Le document doit rester celui de la direction, car ce sont les dirigeants qui le présenteront et surtout qui l'expliqueront et le défendront.

Notre objectif au cours des pages qui suivent est de sensibiliser les dirigeants autant à l'importance d'entreprendre cet exercice qu'aux questions auxquelles un plan d'affaires devrait permettre de répondre. Il faudra garder à l'esprit que tous les éléments énumérés ne s'appliquent pas à tous les plans d'affaires et que ceux-ci doivent être régulièrement adaptés. En d'autres termes, si quelqu'un voulait répondre dans un seul document aux besoins d'information de tous les utilisateurs éventuels, il devrait sans doute fournir tous les renseignements énumérés.

1. LES ÉTAPES DU PLAN D'AFFAIRES

Un plan d'affaires doit être concis et intelligible. Il s'agit d'un résumé des éléments essentiels et non d'un roman qui n'a pas de fin. Le volume de données quantitatives et qualitatives nécessaires à l'élaboration d'un plan d'affaires est énorme, mais le plan lui-même est une synthèse de ce qui est réellement pertinent et doit demeurer un exemple d'organisation. Les informations doivent être communiquées efficacement, susciter l'intérêt et démontrer la compétence des dirigeants. Les bailleurs de fonds désirent savoir s'ils réaliseront une bonne affaire tout en satisfaisant les besoins de l'entreprise.

En autant que les objectifs soient atteints, le manque d'éléments n'est pas dramatique, car il sera toujours temps de les fournir. Le professionnalisme de la présentation doit attirer l'attention et présenter clairement en mots et en chiffres la stratégie d'ensemble de l'entreprise qui l'amène vers la réussite.

Un plan d'affaires comprend trois parties importantes. Dans un premier temps, il faut décrire ce qu'est actuellement l'entreprise. En deuxième lieu, on présentera son historique afin de montrer comment l'entreprise est arrivée là où elle est. Finalement, il faut présenter le futur, c'est-à-dire le devenir possible de l'entreprise. Évidemment, ces trois parties sont précédées d'une page couverture, d'une table des matières et d'un sommaire.

1.1 PRÉAMBULE

La page de présentation

La page couverture doit inclure :

- la raison sociale de l'entreprise ;
- le titre du document ;
- la date de rédaction du document ;
- le titre et le nom des principales personnes-ressources dans l'entreprise ;
- le numéro de téléphone et de télécopieur ainsi que l'adresse électronique ;
- un avis informant le lecteur que le document est confidentiel.

La table des matières

Une table détaillée des sujets est obligatoire et permet au lecteur du document de se retrouver plus facilement et d'aller directement à ce qui l'intéresse en particulier. De fait, la table des matières est simplement un plan de tout ce que comprend le plan d'affaires.

Le sommaire

Il s'agit de présenter de façon très succincte les éléments majeurs du plan d'affaires. Une excellente façon de procéder consiste à dresser un tableau décrivant par exemple le projet et la façon dont il sera financé.

Le résumé devra mettre en évidence les grandes lignes du financement demandé, les possibilités d'un excédent sur les coûts prévus et la façon dont cet excédent sera financé. La mention d'un montant réservé pour imprévus et événements fortuits est importante et montre qu'on a pensé aux imprévus et aux écarts possibles entre les prévisions et ce qui pourra réellement se produire.

Cette partie sera bien sûr rédigée une fois l'ensemble du plan terminé. Il faut avoir comme objectif de susciter l'intérêt du lecteur et de le motiver à poursuivre la lecture. Dans un seul paragraphe, il faut en arriver à expliquer pourquoi le projet soumis est si intéressant. Le résumé est ordinairement basé sur les éléments clés suivants :

- la mission de l'entreprise ou ses principaux objectifs ;
- une brève description de l'équipe de gestion ;
- une brève description du projet et de sa rentabilité ;
- les résultats financiers attendus.

1.2 PREMIÈRE SECTION : LA DESCRIPTION DE L'ENTREPRISE

Le but de cette section est de présenter l'entreprise de façon à intéresser le lecteur et de fournir les informations nécessaires lui permettant de se faire une idée sur la situation de l'entreprise et, évidemment, sur le potentiel qu'elle présente. Il est aussi souhaitable d'ajouter une description faisant état de l'évolution récente de l'entreprise ou du projet ainsi que de sa position dans son secteur industriel. Les principaux éléments pouvant être traités dans cette section sont en général classés en trois grands thèmes : description de la direction, description du marché et description de l'exploitation.

La description de la direction

Les analystes veulent connaître ceux qui dirigent l'entreprise et la façon dont ils l'administrent :

- aperçu du statut juridique de l'entreprise ;
- aperçu de la structure administrative ;
- aperçu de la structure organisationnelle ;
- responsabilités, fonctions et qualifications des principaux gestionnaires ;
- experts externes consultés ;
- grandes réussites et principales qualifications des gestionnaires actuels ;
- composition du conseil d'administration ;
- composition du comité de vérification, le cas échéant.

La description du marché

Le but visé ici est de convaincre les analystes que les gestionnaires connaissent bien le marché, que l'entreprise a sa place dans ce marché et qu'il est possible d'y faire des affaires rentables. À cette fin, il faut démontrer l'existence d'un marché et les avantages concurrentiels des produits ou services au chapitre des prix, de la qualité et du service après vente.

- Décrire concrètement les produits ou services et leurs principales caractéristiques.

- Faire état des avantages concurrentiels.

- Décrire la protection dont on peut bénéficier : brevet, droit d'auteur, marque de commerce ou autres moyens juridiques.

- Donner une estimation du marché total, du marché potentiel et de la part de marché.

- Présenter succinctement les résultats d'études portant sur l'offre, la demande et le comportement des consommateurs.

- Énumérer les expansions envisageables à l'échelle locale, nationale et internationale.

- Présenter la stratégie de fixation des prix et démontrer comment il est possible de réaliser des bénéfices tout en demeurant concurrentiel.

- Décrire la façon dont les services sont vendus et distribués et décrire le service après vente.

- Mentionner les modes de publicité et de promotion utilisés.

La description des activités

Sous cette rubrique, il s'agit de démontrer l'efficacité de la production ainsi que la capacité de produire à des coûts concurrentiels.

Spécifier la taille de l'entreprise, le volume d'activités, le nombre d'employés et les montants investis en immobilisations.

- Indiquer les avantages des emplacements actuels en ce qui concerne la proximité des clients, des fournisseurs ou de la main-d'oeuvre ainsi que des possibilités d'expansion.

- Faire état des considérations écologiques et démontrer, si cela s'avère pertinent, que l'entreprise respecte ou dépasse les exigences de toutes les lois et de tous les règlements concernant l'environnement.

- Présenter une analyse des besoins actuels et futurs de la main-d'oeuvre : disponibilité, compétences exigées, montants investis en formation, climat de travail et, s'il y a lieu, faire état des principales clauses de la convention collective de travail.

- Indiquer la capacité actuelle des installations et leur taux d'utilisation.

- Présenter une liste des immobilisations qui appartiennent à l'entreprise, celles qui sont louées et celles qu'on se propose d'acquérir.

- Décrire les procédés de fabrication, l'organisation de la production et les systèmes de contrôle de la qualité.

- Décrire les installations et les activités de recherche et de développement : montants consacrés, prototypes, programmes envisagés.

- Présenter les améliorations et les développements envisagés ainsi que les nouveaux produits ou services susceptibles de répondre aux besoins du marché.

1.3 DEUXIÈME SECTION : L'HISTORIQUE DE L'ENTREPRISE

Dans la première section nous avons décrit le présent, c'est-à-dire ce qu'est actuellement l'entreprise : ses dirigeants, son marché, ses produits ou services et ses procédés de production. Il est évident que les analystes seront aussi intéressés par les antécédents de l'entreprise.

Trop souvent, l'analyse des résultats historiques n'apparaît pas dans un plan d'affaires, et l'on se contente de fournir les états financiers des trois ou quatre dernières années en laissant le choix aux gens intéressés de tirer leurs propres conclusions. Bien que les états financiers doivent toujours accompagner le plan d'affaires, nous proposons ici d'en faire l'analyse et l'interprétation. Après tout, on n'est jamais si bien servi que par soi-même !

Pour l'analyste externe, les performances passées de l'entreprise constituent la base de l'évaluation des capacités administratives des dirigeants. Il est donc très important de montrer comment, dans des situations difficiles, les gestionnaires ont pu corriger le tir et résoudre les problèmes. Faire état des forces mais aussi des faiblesses, que l'interprétation des états financiers ferait ressortir de toute façon, est une preuve de réalisme, d'honnêteté et de transparence. Les explications ainsi apportées seront certes plus complètes que celles de l'évaluateur externe. En d'autres termes, il s'agit de faire ressortir les bons points et d'expliquer les lacunes afin de prévenir les questions embarrassantes. Bien qu'il n'existe aucune norme, plusieurs vont préférer se limiter à trois ans d'historique.

La performance historique des ventes :

- évolution du chiffre d'affaires ;
- évolution du nombre d'unités produites ou vendues ;
- évolution des prix ;
- dépenses de publicité et efficacité du service des ventes.

L'évolution historique des coûts :

- les coûts de fabrication (matières premières, main-d'oeuvre et frais généraux) ;
- les frais de vente ;
- les frais d'administration ;
- les frais d'amortissement ;
- les frais financiers.

L'évolution historique des marges bénéficiaires :

- la marge bénéficiaire nette ;
- la marge bénéficiaire d'exploitation ;
- la marge bénéficiaire avant impôts ;
- la marge bénéficiaire avant intérêts ;
- les différentes marges de contribution.

L'évolution de l'efficacité de l'exploitation :

- le pourcentage historique de la capacité utilisée ;
- le montant des ventes et (ou) de la production par 100 $ investis dans les actifs ;
- le délai de recouvrement des comptes clients ;
- le taux de rotation des stocks ;
- le délai de paiement des comptes fournisseurs.

L'évolution de la santé financière :

- la liquidité ;
- l'endettement ;
- la couverture des frais fixes et des intérêts ;
- les effets de levier.

Les sources et utilisations des fonds :

- les fonds générés par l'exploitation ;
- les fonds provenant des activités de financement ;
- les fonds utilisés pour investir, rembourser des dettes ou payer des dividendes.

1.4 TROISIÈME SECTION : LES PERSPECTIVES

Quelle est la nature du projet envisagé et quels devraient être les résultats financiers de l'entreprise au cours des prochaines années compte tenu du projet ? Tous les intervenants auprès de l'entreprise sont concernés par ces questions.

La description du projet envisagé

Il faut bien décrire son projet et s'abstenir de grandes généralités du genre : «Il s'agit d'un excellent projet et nous voulons procéder très rapidement». Ces affirmations qui ne veulent rien dire ouvriront généralement la porte à une foule de questions. Il faut plutôt démontrer en quelques pages que le projet est rentable, réalisable et qu'il a fait l'objet d'une étude sérieuse.

- Spécifier clairement le projet : son origine, les principales étapes de sa réalisation, son incidence sur l'avenir de l'entreprise et autres considérations pertinentes.

- Justifier le projet en disant pourquoi il s'agit d'un si bon projet : coût, rentabilité, risque et financement.

- Insister sur les aspects concernant le marketing du projet : la part du marché escomptée, le prix, la concurrence, le réseau de distribution et les résultats des tests et des études de marché.

- Décrire le procédé de fabrication : les installations nécessaires, les caractéristiques techniques, le contrôle de la qualité et les rapports de laboratoires, brevets ou autres.

Les prévisions relatives à la performance

Il faut maintenant démontrer que l'entreprise sera rentable, qu'elle continuera à croître et, surtout, qu'elle représente une excellente occasion d'affaires. Évidemment, personne ne peut prétendre connaître le futur, et cette partie de la présentation contiendra nécessairement une dose de subjectivité. Mais ce n'est pas parce que nous ne pouvons fournir de preuves irréfutables que nos propositions ne s'avéreront pas.

Pour certains, faire des prévisions est trop difficile ou constitue une perte de temps. Cependant, à partir des résultats passés et surtout ceux de la dernière année, l'exercice s'avère beaucoup plus simple qu'on serait porté à la croire. Le défi est cependant plus grand quand il s'agit d'une nouvelle entreprise ou d'un changement majeur apporté aux activités.

Les éléments techniques permettant aux dirigeants de préparer les principaux états prévisionnels sont connus. Un état financier prévisionnel est beaucoup plus simple qu'un état financier. La démarche pour préparer des prévisions financières débute par la prévision des ventes. Sans une prévision des ventes, il est impossible de prévoir quoi que ce soit : production, achat, bénéfices, etc.

- *La prévision des ventes*

  - Justifier la part de marché escomptée et la taille du marché potentiel.
  - Analyser la concurrence.
  - Présenter les éléments principaux de la politique de marketing.

Il faut accorder un soin particulier aux prévisions des ventes, car elles constituent l'élément le plus critique d'un plan d'affaires. Toutes les autres prévisions et toute la planification de l'entreprise en dépendent. Les analystes responsables des dossiers posent ordinairement beaucoup de questions sur ce point. Il faut alors insister sur les raisons pour lesquelles les produits ou les services se vendront et faire état de leurs avantages concurrentiels.

- *La prévision à court terme (un an)*

  - Présenter un budget de caisse.
  - Présenter un état des résultats prévisionnels.
  - Présenter un bilan prévisionnel.

Les prévisions à court terme reposent sur la technique des budgets et constituent la base permettant de justifier toute demande auprès des institutions financières. Évidemment, il faut qu'un système budgétaire soit déjà en place, et on n'élaborera pas un système budgétaire complet pour les seules fins de la préparation d'un plan d'affaires. En l'absence d'un système budgétaire, il faut utiliser la même approche que pour les prévisions à plus d'un an.

- *État des résultats prévisionnels pour les trois prochaines années*

La prévision de l'état des résultats pour plus d'un an peut se faire à partir de jalons qui s'appuieront sur les caractéristiques des activités de l'entreprise et sur certaines normes prévalant dans le secteur industriel où évolue l'entreprise.

Un état des résultats prévisionnels est simplement un état des résultats présenté pour une date future. Il y a certes avantage à réduire le nombre de postes en en regroupant certains. Le point de départ est évidemment encore la prévision des ventes, et les principaux postes de dépenses sont exprimés en pourcentage des ventes. Il faut, bien entendu, procéder autrement pour les dépenses à caractère fixe comme les frais d'intérêts et les dépenses d'amortissement. L'impôt sera exprimé en pourcentage du bénéfice imposable.

- *Bilans prévisionnels pour les trois prochaines années*

Une fois les états des résultats établis, les bilans prévisionnels peuvent être dressés. La méthode consistant à exprimer les postes en pourcentage des ventes est encore utilisée pour les postes qui fluctuent habituellement avec les ventes : comptes clients, stocks et comptes fournisseurs. Les points de départ pour prévoir les postes non directement reliés aux ventes sont le bilan du dernier exercice ou celui dressé selon l'approche budgétaire et les projets prévus en matière d'investissement et de financement.

- *Besoins de fonds de roulement*

Le montant d'argent requis pour combler les besoins de fonds de roulement peut être facilement calculé à partir des bilans prévisionnels. La méthode consiste à établir un état des variations du fonds de roulement. Les résultats permettent de déterminer pour chaque période les augmentations et diminutions de chaque élément du fonds de roulement.

Une autre méthode consiste à calculer, à partir des ventes, les montants requis de stocks et de comptes clients et d'en soustraire les comptes fournisseurs. Le besoin périodique de fonds de roulement sera évidemment la variation d'une période à l'autre.

- *Les flux monétaires pour les trois prochaines années*

L'établissement des flux monétaires est le point le plus important de tout le processus de prévision et sert à démontrer que la survie de l'entreprise à court et moyen terme est assurée. Toutes les prévisions précédentes sont résumées en un seul tableau qui présente les rentrées et les sorties de fonds futures sur une base annuelle.

- *Les besoins de main-d'oeuvre pour les trois prochaines années*

Une analyse des besoins de main-d'oeuvre future est souvent souhaitable, surtout si l'on compte adresser une demande d'aide gouvernementale quelconque. Il s'agira alors d'insister sur les éléments suivants :

- nombre d'emplois créés ;
- nombre de mises à pied épargnées ;
- participation des travailleurs à la gestion ;
- nombre et catégories de travailleurs ;
- salaires et avantages sociaux ;
- conditions de travail et syndicalisation.

- *Dépenses d'investissement, de recherche et de développement*

Quelles seront les dépenses en immobilisations et les sommes consacrées à la recherche et au développement au cours des prochaines années ? Cette question exige une planification des achats d'équipements, de machines, de véhicules, de bâtiments, de terrains, etc. Il faut au préalable classer les actifs par catégorie et par division. Pour chaque division et chaque catégorie, il faut relever les dépenses nécessaires au remplacement, à la modernisation, à l'augmentation de la capacité et à l'expansion sur le plan des nouveaux produits.

1.5 CONCLUSION

Nous avons proposé une façon d'élaborer et de présenter un plan d'affaires. Son maître d'oeuvre doit garder à l'esprit que les principales qualités d'un plan d'affaires gagnant sont sa clarté, sa précision et surtout sa concision. Il est inutile de perdre le lecteur dans une surabondance de détails ou de données inutiles. À cette fin, nous conseillons d'utiliser des annexes dans lesquels tout ce qui n'est pas réellement essentiel sera présenté. À titre d'exemple, voici une liste non exhaustive d'informations qui ont avantage à être présentées en annexe si, bien sûr, elles sont jugées essentielles et sont disponibles :

- les curriculum vitae des principaux dirigeants, actionnaires ou collaborateurs ;

- le bilan personnel des propriétaires dans les cas où certaines garanties personnelles sont exigées ;

- le plan de marketing ou l'étude de marché ainsi que le matériel publicitaire ou promotionnel ;
- la copie de la convention d'actionnaires ou le contrat de société ;
- la copie des licences ou des brevets détenus ;
- la copie de l'acte de constitution ou d'enregistrement ;
- la description de la couverture d'assurance ;
- le sommaire des coûts appuyé par des soumissions, factures, contrats ou listes de prix ;
- une copie de rapports d'évaluation ;
- les plans, devis, maquettes ou autres documents similaires ;
- le rapport de la vérification environnementale ;
- les états financiers historiques ;
- la description détaillée des stocks, des comptes clients et des comptes fournisseurs (type, âge et valeur) ;
- le carnet de commandes ou de contrats en main ;
- la validation des prévisions par un expert CGA et autres documents comptables.

Un plan d'affaires bien élaboré est un outil de communication indispensable. Il permet à l'entrepreneur, non seulement de présenter sa vision, mais aussi, ultimement, de la partager avec de nouveaux partenaires. À partir du moment où ces derniers seront convaincus du réalisme des objectifs poursuivis, ils partageront le même enthousiasme et surtout, ils deviendront moins conservateurs lors de l'évaluation des facteurs de risque. Nul, n'est-ce pas, ne s'aventure à traverser une grande ville inconnue sans une carte routière relativement fiable.

2. LA PRÉSENTATION DU PLAN D'AFFAIRES PAR LES DIRIGEANTS

La participation active des dirigeants à l'élaboration d'un plan d'affaires détaillé est tout à fait essentielle, car elle leur permet de bien comprendre la situation de leur entreprise, de structurer sa présentation et de gagner ainsi en crédibilité. Cela n'est pas toujours possible, et les dirigeants délèguent très souvent cette responsabilité ou utilisent les services d'un consultant. Cependant, ils ne sont pas pour autant épargnés de devoir présenter eux-mêmes le plan d'affaires de leur entreprise. Ce n'est pas le consultant que le directeur de compte veut connaître mais bien les gens qui gèrent l'entreprise.

Notre objectif sera donc de fournir aux gens d'affaires un guide leur permettant de bien se préparer à présenter leur plan d'affaires dans les cas où ils n'ont pas pris une part active à son élaboration. Ce guide prend la forme de questions auxquelles l'entrepreneur doit se préparer à répondre et les informations permettant d'y répondre. Il devrait se servir de ces questions comme s'il devait passer un examen dont le sujet est le plan d'affaires de son entreprise.

Les responsables de l'étude des dossiers ne demanderont pas quelles sont les forces et les faiblesses de l'entreprise ou quels sont les principaux problèmes mais tenteront de conclure eux-mêmes, en se fiant à leur propre analyse. Ils poseront des questions qui auront pour objectif d'évaluer autant le projet soumis que la personnalité et la compétence du présentateur.

L'analyse d'un dossier d'entreprise ou d'un plan d'affaires est toujours une tâche relativement complexe, qu'il s'agisse d'une demande d'emprunt, d'une recherche de capital de risque ou d'une demande présentée à un fonctionnaire en vue d'obtenir de l'aide gouvernementale.

Bien qu'il n'existe pas de méthode uniforme d'évaluation d'un endroit à un autre, il n'en reste pas moins que les analystes et les responsables des dossiers veulent tous s'assurer que leurs critères seront respectés et qu'ils réussiront à conclure une bonne affaire. À cette fin, comme nous l'avons mentionné, ils doivent posséder l'information nécessaire pour bien comprendre la situation actuelle de l'entreprise, connaître ses dirigeants et porter un jugement sur son potentiel. Cependant, chaque utilisateur du plan d'affaires insistera sur un aspect de l'entreprise plutôt qu'un autre et demandera des précisions supplémentaires, peu importe la qualité du document produit, car il est impossible de tout prévoir et il est tout à fait normal qu'il en soit ainsi. Il faut permettre aux dirigeants de s'exprimer eux-mêmes pour qu'ils puissent démontrer leur enthousiasme et leur connaissance du dossier.

Les questions susceptibles d'être posées rejoignent évidemment les principaux points couverts dans le plan d'affaires et nous allons énumérer les informations permettant d'y répondre.

2.1 LES QUALITÉS ADMINISTRATIVES DES DIRIGEANTS

L'évaluation des qualités de gestion des dirigeants d'une entreprise est complexe. Voici une liste non exhaustive d'éléments permettant aux analystes d'évaluer les qualités administratives des dirigeants. Les dirigeants ne doivent pas se contenter de dire aux analystes qu'ils sont compétents mais doivent en faire la démonstration. Plus la valeur de l'entreprise dépend de facteurs intangibles, par exemple de la recherche et des connaissances, plus l'évaluation des capacités administratives et de l'intégrité des dirigeants prend de l'importance.

- *Les dirigeants savent-ils où ils s'en vont ?*

  - objectifs précis et écrits ;
  - documents de planification ;
  - échéanciers de réalisation.

- *Quelles sont les responsabilités de chacun ?*

  - organigramme organisationnel ;
  - organigramme fonctionnel ;
  - description des tâches.

- *Le climat de travail est-il sain ?*

  - degré de syndicalisation ;
  - participation des employés à la gestion ;
  - politique de formation du personnel ;
  - budget consacré à la formation du personnel ;
  - taux de rotation du personnel ;
  - politique salariale.

- *Jusqu'à quel point utilise-t-on l'expertise disponible à l'extérieur de l'entreprise ?*

  - la composition du conseil d'administration ;
  - les contrats et frais de consultation ;
  - les liaisons avec les collèges et les universités.

- *Les responsabilités concernant les fonctions importantes sont-elles clairement déterminées et correctement assumées ?*

  - la gestion des ressources humaines ;
  - la production ;
  - le marketing ;
  - la gestion financière ;
  - la comptabilité ;
  - le contrôle interne ;
  - les moyens envisagés pour combler les lacunes.

- *La continuité de l'entreprise est-elle assurée ? Qui succédera à l'entrepreneur ?*

  - la retraite ;
  - le décès ;
  - la succession ;
  - la maladie ;
  - la convention d'actionnaires ;

2.2 LES PRÉVISIONS DE VENTES

Toute la planification d'une entreprise dépend des prévisions de ventes et il faut y prêter une attention particulière. On doit traiter des stratégies de marketing, de la publicité et du profil de la clientèle.

- *Sur quoi les prévisions de ventes sont-elles basées ?*

  - étude de marché ;
  - part de marché ;
  - étude et analyse du secteur ;
  - exportation.

- *Quel est le degré de la concurrence ?*

  - les concurrents et leur performance ;
  - le ratio population/nombre d'entreprises dans le marché desservi ;

- les caractéristiques des produits ou des services offerts par rapport à ceux des concurrents ;
- les principaux avantages concurrentiels.

• *Quelle est la politique de prix ?*

- les prix et ceux des concurrents ;
- la tendance des prix ;
- les marges bénéficiaires.

• *Est-ce que le manque de ventes a déjà été un problème majeur ?*

- la tendance des ventes au cours des dernières périodes ;
- les causes de cette tendance ;
- les caractéristiques des clients ;
- le nom et l'importance des principaux clients.

• *Quelle est la politique de marketing ?*

- les moyens promotionnels et le budget de publicité ;
- l'image de marque ;
- l'exploitation de nouveaux marchés.

2.3 LES CARACTÉRISTIQUES DES SYSTÈMES DE PRODUCTION

Le but principal est de déterminer si l'entreprise se qualifie comme étant une entreprise de fabrication et si la capacité de production est adéquate.

- *Quelle est la capacité de production ?*

  - les ressources disponibles pour la fabrication ;
  - la qualité des immobilisations et les besoins dans ce domaine ;
  - l'utilisation d'actifs loués ;
  - l'approvisionnement en matières premières et la disponibilité de la main-d'oeuvre.

- *Quels sont les coûts de production ?*

  - les coûts directs ;
  - les coûts indirects ;
  - l'impact de l'inflation ;
  - le système de prix de revient.

- *Quelles sont les compétences et la disponibilité de la main-d'oeuvre ?*

  - les salaires ;
  - le degré de syndicalisation ;
  - les programmes de perfectionnement ;
  - la participation des employés aux bénéfices ;
  - le taux d'absentéisme.

- *Quels sont les moyens pour améliorer la productivité ?*

  - la recherche et le développement ;
  - l'achat de meilleurs équipements ;
  - la modernisation de l'ensemble des installations.

2.4 LA CAPACITÉ FINANCIÈRE DE L'ENTREPRISE

- *La survie de l'entreprise est-elle assurée ?*

  - la liquidité ;
  - le fonds de roulement ;
  - le montant autorisé de la marge de crédit.

- *Quelle est la cote de crédit ?*

  - le délai de paiement des comptes ;
  - les habitudes de paiement ;
  - la réputation de l'entreprise auprès des institutions financières et des fournisseurs.

- *Quels sont les actifs de l'entreprise ?*

  - les actifs corporels et incorporels de l'entreprise ainsi que les privilèges s'y rattachant ;
  - la valeur marchande des actifs et leur valeur en cas de liquidation ;
  - les garanties disponibles ;
  - le degré d'utilisation des immobilisations.

- *Quelle est la capacité de l'entreprise de générer des flux monétaires ?*

  - les flux monétaires découlant de l'exploitation ;
  - les flux monétaires nécessaires pour le service de la dette ;
  - les flux monétaires disponibles pour investir ou pour des fins discrétionnaires ;
  - la sensibilité des flux monétaires.

- *Quel niveau d'endettement l'entreprise est-elle capable de supporter ?*

  - la mise de fonds des propriétaires ;
  - la structure du financement de l'entreprise ;
  - les charges fixes de l'entreprise et leur degré de couverture ;
  - la marge de manoeuvre de l'entreprise et le seuil critique ou le point mort ;
  - les clauses protectrices sur la dette.

2.5 LES SYSTÈMES D'INFORMATION ET DE CONTRÔLE

Un bon système d'information est essentiel à la prise de décisions, à l'intérieur d'une entreprise. Les décisions ne peuvent être meilleures que l'information sur laquelle elles se basent.

- *Quel est le type de système comptable utilisé par l'entreprise ?*

  - le degré d'informatisation ;
  - la fréquence de production des états financiers ;
  - la qualité et la pertinence des informations contenues dans les états financiers ;
  - les délais dans la production de l'information ;
  - l'utilisation des budgets.

- *Quel est le système d'établissement du prix de revient ?*

  - la fiabilité des divers coûts de production ;
  - le prix de revient des produits et ses composantes ;
  - les coûts par service ;
  - la mise à jour des informations ;
  - le mécanisme d'établissement des prix.

- *Quels sont les principaux systèmes de contrôle ?*

  - achats ;
  - production ;
  - ventes ;
  - finance.

2.6 LES PRINCIPALES POLITIQUES

La plupart des décisions courantes d'une entreprise (recouvrement des comptes, achat de matériel, embauche de personnel, paiement des comptes, etc.) peuvent être normalisées et déléguées pourvu que des politiques claires aient été établies au préalable.

- *Quelle est la politique d'achat de l'entreprise ?*

  - les sources d'approvisionnement et les principaux fournisseurs ;
  - le délai de paiement des comptes ;
  - le montant optimal de stocks ;
  - les délais d'approvisionnement.

- *Quelle est la politique de crédit de l'entreprise ?*

  - les termes de vente ;
  - les approbations de crédit ;
  - les mauvaises créances et les comptes en souffrance.

- *Quelle est la politique de gestion du personnel ?*

  - le système de rémunération ;
  - la procédure d'embauche ;
  - le système de promotion.

2.7 L'ENVIRONNEMENT DE L'ENTREPRISE

L'objectif est de déterminer l'origine de l'entreprise et son positionnement dans son secteur d'activité afin de connaître ses axes de développement. Toute entreprise doit apprendre à composer avec les contraintes reliées à son environnement et relever les facteurs qui conditionnent son évolution.

- *Quelles sont l'origine et la mission de l'entreprise ?*

  - les événements qui ont conduit à sa création ;
  - les événements les plus importants de son évolution ;
  - sa raison d'être et ses principales forces ;
  - les alliés stratégiques.

- *Dans quel secteur d'activité l'entreprise évolue-t-elle ?*

  - le créneau occupé ;
  - l'évolution de l'entreprise au regard de l'évolution de son secteur ;
  - les éléments favorables à son développement ;
  - les obstacles qui pourraient être rencontrés.

- *Quels sont les lois, règlements ou normes qui régissent l'entreprise ou les produits ?*

  - la protection de l'environnement ;
  - la protection du consommateur ;
  - le zonage agricole ou urbain ;
  - la gestion des déchets.

Conclusion

Pour beaucoup de gens d'affaires, la recherche du financement est une expérience fort décevante. Les raisons invoquées sont nombreuses, mais le refus demeure le principal élément de frustration. Il faut d'abord accepter qu'une institution financière peut autant nuire à une entreprise en acceptant une demande pour un projet non rentable qu'en refusant le financement lorsque le projet est rentable. Une action est aussi préjudiciable que l'autre, et un bailleur de fonds peut rendre un immense service à une entreprise en l'obligeant à écarter les projets qui n'augmentent pas sa valeur.

Le rôle du financement est de permettre aux entreprises de réaliser des projets rentables, c'est-à-dire ceux qui contribuent au développement économique. Le financement n'a absolument pas pour fonction de faire en sorte que soient entrepris des projets insuffisamment rentables pour le risque qu'ils comportent. Le financement en lui-même ne génère pas de richesse, mais permet plutôt la réalisation de projets qui créent de la valeur et augmentent la prospérité.

Préalablement à l'étape du financement, il y a celle du choix des projets d'investissement, c'est-à-dire la sélection des actifs corporels et incorporels que l'entreprise doit acquérir pour prospérer. Après ce choix seulement, il s'agira de déterminer la meilleure façon de financer les meilleurs projets, les meilleurs actifs. Les entrepreneurs ne doivent pas procéder à l'inverse, et leur première responsabilité dans la recherche de financement est de démontrer qu'ils ont des projets rentables à mettre en oeuvre. Ne pas réussir à le faire est sans doute le meilleur indice que les projets pour lesquels ils requièrent du financement ne créent pas réellement de valeur.

L'autre dimension à explorer dans le cas d'un refus tient à la compétence administrative des dirigeants. Le problème majeur des entreprises, faut-il le rappeler, n'est pas celui du financement mais celui de la qualité de la gestion. Le manque de fonds et les difficultés financières d'une entreprise ne sont pas un problème en soi, mais la conséquence d'un problème qui, dans la très grande majorité des cas, se situe dans la prise de décision.

La préparation d'un plan d'affaires et la négociation d'une demande de financement constituent l'occasion idéale pour les gestionnaires d'une entreprise de démontrer leurs compétences. L'obtention de financement et la négociation de bonnes conditions demeurent des tâches difficiles, et il y a lieu d'y consacrer beaucoup d'efforts. Afin que l'exercice soit fructueux, voici une liste non exhaustive de conseils.

Il faut apprendre à se vendre.

L'entrepreneur a un projet à vendre et il faut qu'il apprenne à le faire. Pour cela, il faut qu'il affiche une confiance sans bornes, qu'il soit opiniâtre et qu'il puisse supporter les critiques.

L'obtention du financement est une responsabilité des cadres supérieurs.

La finalité des tâches de gestion consiste à transformer une idée en une réalité. Pour qu'un projet devienne une réalité, il faut que l'entreprise obtienne les fonds nécessaires. Cette responsabilité ne peut être déléguée.

Il faut demeurer modeste.

Le plan d'affaires proposé, soit celui qui justifie la demande de financement, comporte une foule d'éléments, et il est impossible qu'une entreprise soit parfaite à tous les égards. Tout bailleur de fonds expérimenté sait d'avance que chaque projet ou chaque entreprise comporte des éléments de risque, et il est inutile de s'acharner à démontrer le contraire. Il faut évidemment exploiter ses points forts et avantages concurrentiels, mais il est peu utile d'aller trop dans les détails et de vouloir être trop précis. D'excellents dossiers peuvent être élaborés en moins de cinq pages. Il s'agit de faire passer un message ou deux : la rentabilité du projet, les qualités de l'équipe de gestion, la situation financière de l'entreprise, les perspectives favorables dans le secteur ou autres avantages.

Il faut connaître l'institution financière à laquelle on compte s'adresser.

La première façon de connaître une institution financière consiste à consulter ses différentes brochures d'information et à prendre connaissance de ses deux derniers rapports annuels. Il est aussi très souvent valable d'établir des contacts avec un ou deux de ses clients actuels. Ces initiatives permettront en général de connaître à l'avance les politiques, les exigences et les pratiques de l'institution financière en question.

Il peut être opportun de demander l'avis et l'aide d'un tiers.

La préparation d'un plan d'affaires exige des compétences particulières et un conseiller expérimenté peut permettre d'obtenir des avis objectifs et grandement aider à son élaboration. Il s'agit dans ce cas de stipuler la nature des services exigés et de s'entendre préalablement sur la rémunération. La principale contribution des experts externes est de valider le plan d'affaires, surtout la partie du document qui présente les prévisions de ventes et les états prévisionnels. Il ne faut cependant pas déléguer l'entière responsabilité de la négociation du financement à des experts, car ce n'est pas ces intermédiaires que l'institution financière veut connaître, mais les dirigeants de l'entreprise.

Il faut prévenir les questions.

Tout analyste d'un plan d'affaires et d'une demande d'emprunt sera sceptique devant certains éléments. Il faut que le dirigeant de l'entreprise qui présente la demande prévoit les sujets qui peuvent soulever des interrogations et évite de donner des explications circonstancielles sur tous les aspects négatifs. Le fait de faire appel à un conseiller impartial permet d'isoler à l'avance les points faibles, ceux présentés avec trop d'optimisme ou laissés sans réponse.

La présentation du texte doit attirer l'attention.

Le texte doit être présenté à double ou triple interligne, divisé en parties ou en chapitres et subdivisés en de courts paragraphes. Une table des sujets doit être placée au tout début, et tout ce qui n'est pas très essentiel, par exemple l'historique de l'entreprise, peut fort bien être donné en annexe. Le style *questions et réponses* est plus captivant pour le lecteur.

Il ne faut pas paraître trop pressé.

L'urgence des besoins de fonds témoigne souvent d'une planification déficiente qui, à son tour, laisse planer des doutes sur les capacités administratives des dirigeants. Il ne faut pas négliger non plus la possibilité de procéder par étape lorsque les risques inhérents à l'importance du projet sont trop grands. Si la première étape va bien, il sera très facile par la suite d'augmenter le financement ; il va de soi que le meilleur moment pour demander du financement est lorsque l'on n'en a pas véritablement besoin.

Il ne faut pas hésiter à utiliser la concurrence en sa faveur.

Il faut présenter le projet à plusieurs institutions financières et le laisser savoir discrètement. Il faut aussi toujours vérifier la possibilité d'une aide gouvernementale et être prêt à réagir à une demande de participation au capital-actions.

Annexe 1

AVANTAGES ET DÉSAVANTAGES DES PRINCIPALES FORMES DE FINANCEMENT OFFERTES AUX PME

CRÉDIT COMMERCIAL (Comptes fournisseurs)		
AVANTAGES	**DÉSAVANTAGES**	**COÛTS**
Simple et très facile d'accès	Durée très limitée et souvent réduite à moins de 30 jours	Aucun coût si les termes du fournisseur sont respectés
Ne coûte rien si les termes de vente des fournisseurs sont respectés	Montant nettement insuffisant pour couvrir tous les besoins de stocks	Énormes et très imprévisibles si les termes du fournisseur ne sont pas respectés
Formalités et documentation réduites au minimum	Devient très onéreux si les termes du fournisseur ne sont pas respectés et entraîne une détérioration rapide de la crédibilité de l'entreprise auprès des institutions financières	
Ne nécessite aucune garantie et ne requiert aucun contrôle particulier		

MARGE DE CRÉDIT (Prêt sur fonds de roulement)		
AVANTAGES	**DÉSAVANTAGES**	**COÛTS**
Simple et rapide à négocier	Le montant d'emprunt est limité et déterminé par la quantité et la qualité des garanties que l'entreprise peut offrir	Le taux préférentiel plus une prime de 1 à 4 % sur le montant utilisé
Documentation et tracasserie administrative réduites au minimum	Détériore la liquidité et augmente le risque financier	Frais administratifs mensuels (montant fixe)
Très flexible et bien adaptée pour répondre à des besoins de fonds temporaires ou fluctuants	Peut être annulée à la discrétion de l'institution prêteuse (rare); ordinairement, elle accorde un délai raisonnable	Frais d'évaluation annuels de 1/2 de 1 % sur le plafond négocié
Les clauses restrictives qui peuvent limiter les activités de l'entreprise sont réduites au minimum	Doit s'autoliquider à l'intérieur d'une année (en théorie du moins)	Frais juridiques inexistants ou réduits au minimum
Les frais d'intérêt sont comptés uniquement sur les montants empruntés		

AFFACTURAGE		
AVANTAGES	**DÉSAVANTAGES**	**COÛTS**
Offre la possibilité d'éliminer complètement ou partiellement le risque rattaché aux mauvaises créances	Peut avoir un impact négatif sur les clients, car ceux-ci peuvent en déduire que l'entreprise traverse une période de turbulence financière	Un pourcentage de la facture variant entre 1 et 3 % pour les services de recouvrement
Permet de réduire les besoins de fonds de roulement naturel et donc ses besoins de financement	Peut devenir très onéreux dans les cas où le nombre de clients est élevé et le montant des comptes est faible	Taux préférentiel plus une prime de 2 à 4 % sur les montants avancés
Élimine une grande partie des frais rattachés à son propre service de crédit	Encore limité et peu populaire dans plusieurs secteurs industriels	Certains frais administratifs peuvent s'ajouter
Permet d'avoir accès à d'autres sources de crédit pour financer les stocks		

PRÊT À TERME		
AVANTAGES	**DÉSAVANTAGES**	**COÛTS**
Facile d'accès et assez flexible	Règle générale, n'est accordé que pour des besoins à moyen terme (de 3 à 7 ans)	Taux préférentiel plus une prime (1 à 5 %)
Ne peut devenir exigible avant l'échéance à moins d'un manquement aux engagements prévus	Des garanties de premier ordre sont exigées et cela fige les biens de l'entreprise	Le taux d'intérêt peut être fixe ou fluctuant
Les coûts et débours peuvent être connus à l'avance et pour une assez longue période	Peut contenir bon nombre de clauses restrictives et protectrices qui limitent la liberté d'action de l'entreprise	Frais juridiques
S'avère ordinairement le moins onéreux des emprunts à moyen terme	Le montant d'emprunt habituellement octroyé est limité à un pourcentage de l'actif porté en garantie	Frais de négociation de l'ordre de 1 % du montant demandé
Les modalités de remboursement peuvent être adaptées aux besoins financiers de l'entreprise	Respect obligatoire des modalités de remboursement prévues, et les remboursements anticipés peuvent être fortement pénalisés	
Il est possible d'obtenir un taux d'intérêt fixe qui permet d'éliminer le risque de fluctuation de taux		

CRÉDIT-BAIL		
AVANTAGES	**DÉSAVANTAGES**	**COÛTS**
Permet plus facilement d'adapter la durée du financement à la durée de vie de l'actif	Offre la possibilité au bailleur de reprendre en tout temps possession de son bien advenant un manquement aux engagements prévus	Taux d'intérêt implicite souvent plus élevé que celui d'un emprunt traditionnel
Permet dans certains cas de faire supporter une partie du risque de désuétude par le bailleur	Coûts généralement plus élevés que les emprunts traditionnels	Frais juridiques réduits en comparaison avec un emprunt traditionnel
Permet souvent d'amoindrir certaines clauses restrictives ou protectrices qui accompagnent les contrats de prêts traditionnels	Frais d'annulation de contrat plus élevés que dans le cas de la dette traditionnelle	
Permet souvent d'obtenir une échéance plus longue que celle du prêt à terme	Peut comporter un risque fiscal	
Permet d'utiliser plus facilement sa capacité d'emprunt	Augmente le risque financier de façon importante à cause des charges fixes élevées qu'il crée	

PRÊT HYPOTHÉCAIRE		
AVANTAGES	**DÉSAVANTAGES**	**COÛTS**
Constitue sans doute pour la PME la source de financement à long terme la moins onéreuse	Forme d'emprunt très rigide : très peu d'éléments peuvent être négociés	Le taux d'intérêt est établi en fonction du risque
Comporte très peu de clauses restrictives ou protectrices qui limitent les activités de l'entreprise	Le montant obtenu est essentiellement fonction de la valeur des biens immobiliers portés en garantie	Frais d'évaluation des biens immobiliers portés en garantie
Le montant obtenu dépend plus de la valeur de l'actif porté en garantie que du crédit de l'entreprise	Le créancier peut obtenir le droit de vendre les biens portés en garantie si l'emprunteur manque à ses engagements	Frais juridiques relatifs à la garantie hypothécaire
Forme d'emprunt normalisée assez facile d'accès et simple à gérer		

DETTE DE RANG INFÉRIEUR[1]		
AVANTAGES	**DÉSAVANTAGES**	**COÛTS**
Forme d'emprunt beaucoup plus flexible que la dette traditionnelle	Assez difficile d'accès et relativement complexe à négocier	Le taux varie entre 15 et 30 % par année et est en général de 5 à 15 % plus élevé que le taux d'emprunt normal de l'entreprise
Coût inférieur au rendement exigé sur des véritables fonds propres	Beaucoup plus coûteuse que la dette traditionnelle	Dilution importante dans certains cas des bénéfices
Permet de partager le risque avec d'autres investisseurs sans pour autant trop diluer le contrôle	Peut comporter beaucoup d'obligations reliées aux activités de l'entreprise et il faut s'attendre à ce que l'investisseur joue un rôle actif	Frais d'évaluation et de négociation
Offerte à n'importe quelle industrie		Frais juridiques

1. La dette de rang inférieur est toute forme de dette participative, tout type de débenture, de prêts sur redevance ou autres. Ces formes de dettes à long terme s'apparentent à du financement sous forme de capital de risque et sont principalement utilisées par des entreprises qui reposent sur le capital intellectuel, par les entreprises en forte croissance et par les entreprises qui ont des projets d'expansion audacieux ou encore pour des prises de contrôle.

FINANCEMENT BASÉ SUR L'ACTIF		
AVANTAGES	**DÉSAVANTAGES**	**COÛTS**
Le prêteur assume un plus grand risque financier, et cela diminue les besoins de capital de risque	En général, plus onéreux que les prêts conventionnels	Le taux préférntiel plus une prime de 2 à 8 %
Comporte beaucoup moins de clauses restrictives ou protectrices souvent difficiles à respecter	Nécessite un fort volume de comptes clients ou de stocks, ou des immobiisations de grande valeur	Frais d'établissement
Principalement déterminé par la qualité des actifs portés en garantie qui, dans la majorité des cas, constituent la seule garantie accordé	Nécessite beaucoup de suivis, surtout dans le cas des stocks et des comptes clients	

Annexe 2

LES SOURCES DE FINANCEMENT EXTERNE APPROPRIÉES LES PLUS COURANTES SELON LES BESOINS OU LE STADE DE DÉVELOPPEMENT DE L'ENTREPRISE

1. BESOINS DE FONDS DE ROULEMENT

Formes de financement les plus appropriées	Principaux bailleurs
• Marge de crédit	▸ Banques à charte canadienne ▸ Banques étrangères ▸ Coopératives de crédit
• Acceptation bancaire	▸ Banques à charte
• Papier commercial	▸ Courtiers en valeurs mobilières
• Affacturage	▸ Sociétés de financement
• Prêts sur actifs	▸ Sociétés de financement
• Aide gouvernementale	▸ Banque de développement du Canada (BDC)
• Fonds propres	▸ Investisseurs privés ou institutionnels

2. ACQUISITION OU RÉNOVATION D'IMMOBILISATIONS CORPORELLES (TERRAINS, BÂTIMENTS, MACHINES ET ÉQUIPEMENTS)

Formes de financement les plus appropriées	Principaux bailleurs
• Prêts à terme	▸ Banques à charte canadienne ▸ Banques étrangères ▸ Coopératives de crédit ▸ Sociétés de financement ▸ Sociétés d'assurance ▸ Banque de développement du Canada ▸ Société de développement Industriel
• Prêts hypothécaires	▸ Les mêmes bailleurs que pour les prêts à terme
• Crédit-bail	▸ Sociétés de crédit-bail ▸ Sociétés de financement ▸ Sociétés de financement filiales des banques
• Prêts sur actifs	▸ Sociétés de financement
• Prêts pour la petite entreprise (PPE)	▸ Banques à charte canadienne ▸ Banques étrangères ▸ Coopératives de crédit
• Capital de risque	▸ Sociétés de capital de risque ▸ Accès Capital (la Caisse de dépôt et de placement du Québec) ▸ Le Fonds de solidarité des travailleurs du Québec
• Fonds propres	▸ Investisseurs privés ou institutionnels

3. EXPANSION, CROISSANCE OU RESTRUCTURATION, Y COMPRIS UN CHANGEMENT DU CONTRÔLE

Formes de financement les plus appropriées	Principaux bailleurs
• Dette participative	▸ Banque de développement du Canada ▸ Accès Capital (Caisse et dépôt et de placement du Québec) ▸ Fonds de solidarité des travailleurs du Québec ▸ Sociétés de capital de risque
• Capital de risque	▸ Les mêmes bailleurs que pour la dette participative
• Fonds propres	▸ Investisseurs privés et institutionnels

4. DÉVELOPPEMENT ET COMMERCIALISATION DE NOUVEAUX PRODUITS ET SERVICES

Les mêmes formes et sources de financement que dans le cas précédent

5. CRÉATION D'UNE ENTREPRISE TRADITIONNELLE

Formes de financement les plus appropriés	Principaux bailleurs
• Fonds propres	▸ Ressources personnelles ▸ Ressources des proches, parents et amis ▸ Les fournisseurs éventuels

6. CRÉATION D'UNE ENTREPRISE DE LA NOUVELLE ÉCONOMIE (BASÉE SUR LE SAVOIR ET LES CONNAISSANCES)

Formes de financement les plus appropriées	Principaux bailleurs
• Fonds propres	▸ Ressources personnelles ▸ Ressources des proches, parents et amis ▸ Programmes gouvernementaux par l'intermédiaire de la Banque de développement du Canada
• Capital de risque	▸ Gens prospères * ▸ Sociétés de placement spécialisées * ▸ Sociétés de capital de risque *

* Ces sources de financement sont essentiellement basées sur la réputation de l'entrepreneur.

7. LE STADE SUIVANT LA CRÉATION D'UNE ENTREPRISE TRADITIONNELLE

Formes de financement les plus appropriées	Principaux bailleurs
• Fonds propres	▸ Ressources personnelles ▸ Ressources des proches, parents et amis ▸ Les fournisseurs et clients
• Capital de risque	▸ Partenaires stratégiques * ▸ Gens prospères * ▸ Sociétés d'aide au développement des collectivités (SADC) ▸ Corporation de développement économique communautaire(CDEC) ▸ Corporation de développement économique (CDE) ▸ Fonds d'investissements local (FIL) ▸ SOLIDE (Fonds de solidarité des travailleurs du Québec)

* Ces sources de financement sont essentiellement basées sur la réputation de l'entrepreneur.

8. LE STADE SUIVANT LA CRÉATION D'UNE ENTREPRISE DE LA NOUVELLE ÉCONOMIE (BASÉE SUR LE SAVOIR ET LES CONNAISSANCES)

Formes de financement les plus appropriées	Principaux bailleurs
• Fonds propres	▸ Ressources personnelles ▸ Ressources des proches, parents et amis
• Capital de risque	▸ Partenaires stratégiques * ▸ Gens prospères * ▸ Sociétés de placements spécialisées * ▸ Sociétés de capital de risque * ▸ Sociétés Innovatech ▸ Programmes gouvernementaux par l'intermédiaire de la Banque de développement du Canada (BDC) ▸ Programmes gouvernementaux par l'intermédiaire des commissariats industriels ▸ Bureau fédéral de développement régional (FBDRQ)

* Ces sources de financement sont essentiellement basées sur la réputation de l'entrepreneur.

9. FINANCEMENT DES EXPORTATIONS : DE L'EXPÉDITION DU PRODUIT JUSQU'À LA RÉCEPTION DU PAIEMENT

Formes de financement les plus appropriées	Principaux bailleurs
• Marge de crédit ou financement à court terme	▸ Banques à charte canadienne ▸ Banques étrangères ▸ Société pour l'expansion des exportations (SEE)
• Assurance crédit	▸ Société pour l'expansion des exportations (SEE) ▸ Sociétés d'assurance ▸ Sociétés de financement
• Affacturage	▸ Sociétés de financement
• Garantie de prêts ou de bonne exécution	▸ Société pour l'expansion des exportations (SEE) ▸ La Banque de développement du Canada (BDC) ▸ La Corporation Commerciale Canadienne (CCC) ▸ L'Agence canadienne de développement international (ACDI)

Bibliographie

▶ Le lecteur qui désire consulter un répertoire des sources de financement disponibles et chercher le financement approprié permettant de répondre à un besoin précis peut avantageusement utiliser les ressources disponibles sur Internet. Depuis quelque temps, Internet donne gratuitement accès à deux banques d'informations essentielles pour les entrepreneurs et les PME : Strategis et Info entrepreneurs. Une section de chacune de ces banques d'information fournit des renseignements utiles pour les gens d'affaires à la recherche de financement.

Strategis (http://strategis.ic.gc.ca) est sans doute le plus important site Internet de renseignements pour les entreprises au Canada. Créateur de ce site, Industrie Canada a reçu la collaboration de la majorité des ministères fédéraux et provinciaux à vocation économique ainsi que celle de plusieurs institutions du secteur privé. Pour l'entreprise à la recherche de financement, la section «$ources de financement : Naviguer dans le labyrinthe des finances» permet d'identifier les institutions financières les plus susceptibles de répondre à ses besoins et d'accéder directement à leur site Internet.

Info entrepreneurs (http://infoentrepreneurs.org) a, pour sa part, deux vocations principales, soit de renseigner les gens d'affaires sur les programmes et services gouvernementaux, soit de servir de porte d'entrée à plusieurs réseaux d'information commerciales comme celui du «Réseau canadien de technologie».

▶ Le lecteur intéressé à relever les ressources Internet susceptibles d'être utiles aux PME québécoises peut consulter le site «Chroniques PME» (http://w3.franco.ca/pme).

▶ Le lecteur intéressé à identifier les programmes d'aide gouvernementale qui pourraient s'appliquer à une entreprise en particulier peut utiliser le système expert expert Megatipe disponible auprès de «Productivité Plus» (514 843-7693). Cette banque de données permet de connaître les programmes de démarrage d'entreprises et ceux qui s'adressent aux entreprises déjà existantes. «Productivité Plus» offre aussi MEGACAP, un système qui permet d'identifier les sociétés de capital de risque.

▶ Le lecteur intéressé à mettre à jour ou à compléter ses connaissances dans le domaine de la finance en général et dans celui du financement des entreprises en particulier, pourrait consulter un des ouvrages suivants :

BREALY, R.A., MYERS, S.C., LAROCHE, P. (1992). *Principes de gestion financière des sociétés*, Montréal, McGraw-Hill.

LUSZTIG, P., SCHWAB, B., CHAREST, G. (1983). *Gestion financière*, Montréal, Éditions du Renouveau Pédagogique.

PAGE, J.P. (1998). *Gestion financière pour experts comptables et financiers*, Sherbrooke, DTR, dernière édition.

▶ Le lecteur qui désire trouver toute l'information existant au sujet des programmes d'aide aux petites entreprises du gouvernement fédéral peut consulter la publication du Bureau de l'entrepreneurship et de la petite entreprise d'Industrie Canada : *Guide des services et programmes du gouvernement du Canada à l'intention des petites entreprises 1996-1997.*

▶ Le lecteur qui désire s'informer sur des centaines de programmes d'aide gouvernementale, tant au niveau fédéral que provincial, y compris les critères d'admissibilité, la présentation des demandes et les types d'aide disponible, peut consulter *Guide des programmes d'aide pour l'entreprise privée*, 1995, de CCH Canadian. Malheureusement, cette publication date déjà, mais la seizième édition est attendue.

▶ Le lecteur qui désire obtenir des statistiques sur les entreprises, des données économiques et les coordonnées de personnes-ressources au sein des ministères à vocation économique et au sein des différents regroupements ou associations, peut consulter : *1996 Corpus Almanac Canadian Sourcebook.*

▶ Le lecteur qui désire d'autres informations sur la rédaction d'un plan d'affaires et obtenir un exemple complet, peut consulter :

BELLEY, A., DUSSAULT, L., LAFERTE, S. (1997). *Comment rédiger son plan d'affaires ? - À l'aide d'un exemple de projet d'entreprise*, Montréal, Éditions Transcontinental et Fondation de l'Entrepreneurship.

▶ Internet donne aussi accès à une grande quantité d'informations sur les services offerts par la grande majorité des institutions financières faisant affaire au Québec (par exemple, les banques à charte canadienne, le mouvement Desjardins, la Caisse de dépôt et placement du Québec, le Fonds de solidarité des travailleurs du Québec et la Banque de développement du Canada ont un site Web).

▶ Enfin, le lecteur qui désire obtenir les coordonnées des institutions financières de sa région qui sont les plus aptes à répondre à ses besoins, celles qui offrent un produit particulier ou encore celles qui sont spécialisées dans un secteur donné, peut s'adresser directement à un conseiller de la Banque de développement du Canada, à un commissaire industriel ou a un représentant d'un ministère à vocation économique.

Achevé d'imprimer
en l'an mil neuf cent quatre-vingt-dix-huit
sur les presses des ateliers Guérin
Montréal (Québec)